El Cáncer

Si este libro le ha interesado y desea que lo mantengamos
informado de nuestras publicaciones, puede escribirnos a
comunicacion@editorialsirio.com,
o bien registrarse en nuestra página web:
www.editorialsirio.com

Título original: LE CANCER. UN LIVRE QUI DONNE DE L'ESPOIR
Traducido del francés por Mª Carmen García Bernabeu
Diseño de portada: Editorial Sirio, S.A.

©   de la edición original
    2013 Lise Bourbeau

©   de la presente edición
    EDITORIAL SIRIO, S.A.

EDITORIAL SIRIO, S.A.	**NIRVANA LIBROS S.A. DE C.V.**	**ED. SIRIO ARGENTINA**
C/ Rosa de los Vientos, 64	Camino a Minas, 501	C/ Paracas 59
Pol. Ind. El Viso	Bodega nº 8,	1275- Capital Federal
29006-Málaga	Col. Lomas de Becerra	Buenos Aires
España	Del.: Alvaro Obregón	(Argentina)
	México D.F., 01280	

www.editorialsirio.com
sirio@editorialsirio.com

6096 3815 9/16

I.S.B.N.: 978-84-16233-03-8
Depósito Legal: MA-1466-2015

Impreso en Imagraf Impresores, S. A.
c/ Nabucco, 14 D - Pol. Alameda
29006 - Málaga

Impreso en España

LISE BOURBEAU

autora de
Obedece a tu cuerpo y *Escucha a tu cuerpo*

El
Cáncer
un libro que da
esperanza

editorial Sirio

AGRADECIMIENTOS

Gracias a los alumnos de *Écoute Ton Corps*, que son una fuente inagotable de experiencias y con los cuales aprendo sin cesar hasta qué punto el cuerpo humano es una creación de una gran inteligencia y, como tal, todo es posible.

Gracias a los que han aceptado que los cite como ejemplo en este libro con la finalidad de ayudar al público en general.

Gracias en especial a Denise, que me ha permitido utilizar todos los detalles del perdón que realizó con su madre.

Gracias a todos los que me han animado a escribir este libro, sobre todo a mi yerno, Jean-Pierre Gagnon, que fue el primero que tuvo la idea.

Gracias a todos los médicos y terapeutas que están abiertos a la idea de que el cáncer se puede curar por medio del amor; esto es lo que más me animó a escribir este libro.

GRACIAS a ti, querido lector, que eres lo bastante valiente para vivir las experiencias sugeridas en este libro y que podrás –lo espero de todo corazón– contribuir a cambiar para mejor las estadísticas generales sobre el cáncer en los próximos años.

Prólogo

En respuesta a una petición cada vez más frecuente, he decidido escribir un libro sobre el cáncer. Sé que ya hay varias obras de autores muy competentes sobre este tema, pero quiero, a través de estas páginas, haceros partícipes de la síntesis que he realizado a lo largo de mis treinta años de enseñanza de la filosofía de *Écoute Ton Corps* en todo el mundo.

Tras el testimonio de muchas personas con cáncer que han participado en los talleres de la Escuela de Vida *Écoute Ton Corps*, poco a poco he llegado a las conclusiones que muestro en este libro.

Tengo que admitir que al principio dudé mucho, ya que la causa o la procedencia de las distintas enfermedades es un tema muy amplio y controvertido. Sé muy bien que en el plazo de diez años aún habré aprendido mucho más, y que no tengo que esperar saberlo todo antes de escribir un libro así. De hecho, nos es imposible saberlo todo. Esta es la razón principal que me incita a querer seguir siempre enseñando lo que, indiscutiblemente, parece ser mi mayor fuente de nuevos conocimientos y descubrimientos.

También he aprendido mucho gracias a varios miembros de mi familia y amigos que han padecido cáncer, de los cuales algunos se curaron y otros fallecieron. En este libro leerás con frecuencia ejemplos de experiencias vividas por muchas personas —con nombres ficticios— que me han autorizado a compartirlas con vosotros.

Como verás, he optado por tutearte, lector, con la esperanza de adentrarme más en tus sentimientos.

Ten en cuenta que lo que leerás es el fruto de mis observaciones. No pretendo poseer la verdad, y mi objetivo no es el de convencer a nadie de todo lo que he podido descubrir, entre otras cosas lo que me ha sorprendido y lo que me ha ayudado mucho a mejorar mi calidad de vida, así como la de muchas otras personas. Mi primer objetivo es el de entregarte mi testimonio y esperar que lo que resuene en ti responda favorablemente a las necesidades de tu ser.

Además, te darás cuenta de que no hay ninguna bibliografía al final del libro y que muy a menudo no cito la fuente de mis descubrimientos. De hecho, leo libros sobre este tema desde hace cuarenta años sin anotar necesariamente la fuente de lo que aprendo. Si necesitas tener pruebas, esto indica que estás leyendo estas páginas con la mente y te arriesgas, por tanto, a dejar que tu ego se imponga.

Cualquier obra de crecimiento o de espiritualidad se debería leer sintiendo. Esto implica dedicar tiempo para verificar si lo que acabas de leer te hace sentir bien o no. Es así como puedes desarrollar el discernimiento y ser tú mismo quien decida lo que quiere guardar o no de una enseñanza.

A lo largo del libro, habrá algunas frases en recuadros que pueden pedirte un tiempo de descanso. Te sugiero que vuelvas a leer estas frases tres veces, verifiques cómo te sientes y dejes que hagan su camino en ti. A continuación, si realmente quieres SABER si es bueno para ti, tienes que experimentarlo repetidamente.

Toda creencia se debería aceptar sola y únicamente si nos aporta un bienestar y una mejor calidad de vida. Toda creencia a la que decidamos adherirnos tiene, por tanto, que ser inteligente para uno mismo: te recuerdo una vez más que es temporal, ya que puede ocurrir algo nuevo que nos incite a cambiarla.

La definición de «CREER» es CONSIDERAR COMO VERDADERO. Lo que es verdad en un momento dado no lo es necesariamente el resto de nuestros días. Por ejemplo, puede ser verdad que no es recomendable que un niño de cinco años hable con un extraño en la calle. Por el contrario, si este niño sigue religiosamente esta recomendación una vez que sea adulto, esto podría causarle serios problemas.

El enfoque sugerido en este libro es bastante complementario a cualquier otro enfoque que una persona que padezca cáncer haya elegido utilizar, ya que es principalmente de naturaleza metafísica y sobre todo espiritual. Mi intención es la de ayudarte a reencontrar paz interior gracias al descubrimiento de la cara oculta de esta enfermedad.

Este libro se dirige a toda persona que sufra de cáncer o que acompañe a alguien que lo padece o que tenga miedo de padecerlo, sabiendo que se han producido muchos casos en su familia. Además, y sobre todo, se dirige especialmente a los que desean encontrar un medio para prevenirlo. De hecho, la razón principal de este libro es la de prevenir el cáncer —al leer algunas estadísticas que aparecen en el primer capítulo, entenderás por qué ha llegado el momento de modificarlas.

Mi segundo objetivo es el de ayudarte a dejar de ver el cáncer como un ENEMIGO que se tiene que combatir a cualquier precio o contra el que hay que resignarse, a causa de nuestra impotencia. Quiero que tomes conciencia de hasta qué punto esta enfermedad puede volverse un AMIGO que en el fondo quiere darte un mensaje de esperanza, un medio para encontrar la paz interior.

Quiero puntualizar que he tomado en consideración que tal vez no hayas leído nunca uno de mis libros o realizado talleres con la escuela *Écoute Ton Corps*. Esta es la razón por la que explico en detalle algunas nociones de esta enseñanza, que puede parecer repetitiva para los que ya la conocen.

El origen de la palabra «cáncer»

Es el gran médico HIPÓCRATES –considerado como el padre de la medicina– el que posee el crédito de esta palabra, ya que utilizaba *carcinos* y *carcinoma* para describir dos formas de tumores. En griego, estos términos se refieren al cangrejo, ya que el desarrollo de esta enfermedad le recordaba la forma de un cangrejo.

Cuatrocientos años más tarde, el médico romano CELSO tradujo el término griego utilizando la palabra latina *cáncer*.

Otro médico romano llamado GALENO utilizó después la palabra latina *oncos* (unos cien años más tarde) para describir un tumor, y sigue siendo utilizada por los especialistas en cáncer, los oncólogos.

Capítulo uno

ESTADÍSTICAS INTERESANTES

Existen innumerables estadísticas disponibles en Internet sobre el cáncer a nivel mundial. Aprovecho este capítulo para mostraros algunas, y sobre todo para daros una imagen más global de la importancia de esta enfermedad. Entre otras cosas, podréis ver que aproximadamente una de cada cuatro personas que padece cáncer muere. Por el contrario, cuando un médico pronuncia la frase siguiente: «Tiene un tumor canceroso», no está obligatoriamente diciendo que *TE MUERES*.

Podemos darnos cuenta fácilmente de por qué tantas personas le tienen miedo. Es cierto que hoy en día se oye cada vez más hablar de esta enfermedad. Antes no nos atrevíamos a referirnos a ella tan abiertamente. No hace mucho tiempo, mi peluquera me decía que, hace veinte años, oía hablar de cáncer en su salón aproximadamente una vez por semana. Ahora es varias veces al día. Ya sea que se refiera a sí mismo o a uno de sus seres queridos, el cáncer se ha convertido en un tema de conversación muy corriente, no solamente en la peluquería, sino en todas partes, tanto en los entornos personales como en los profesionales.

Trabajo con muchos médicos desde la fundación de mi escuela, y la mayoría de ellos están de acuerdo conmigo en confesar que esta enfermedad está cada vez más presente en sus pensamientos cuando un paciente va a verlos con un nuevo problema, sobre todo si es persistente. Muchas veces, temen que sea un cáncer incluso antes de haber obtenido los resultados de los análisis. No podemos culparlos, ya que regularmente se enfrentan a esta enfermedad.

A título informativo, estas son las estadísticas de 2012 de la Asociación Canadiense contra el Cáncer:

- Un total de 186.400 nuevos casos de cáncer (sin incluir los 81.300 de cáncer de piel, distintos al melanoma).
- Un total de 75.700 muertes causadas por esta enfermedad.
- Más del 50% de estos casos serán cánceres de pulmón, colorrectal (colon y recto), de próstata y de mama.
- Más de una cuarta parte (27%) de todas las muertes por cáncer se atribuyen al cáncer de pulmón.
- El 12% de todas las muertes se atribuyen al cáncer colorrectal.
- El 69% de los nuevos casos de cáncer y el 62% de las muertes por cáncer afectan a personas de entre cincuenta y setenta y nueve años.

- Entre los veinte y los cincuenta años, los niveles de cáncer son más elevados en las mujeres.
- Antes de los veinte años y más allá de los cincuenta, los niveles son más elevados en los hombres.

De los 35 millones de canadienses en 2012, 17,4 millones eran hombres y 17,6 millones, mujeres. A continuación se precisan las estadísticas de los nuevos casos y de las defunciones (por orden de importancia) para algunos cánceres sufridos por canadienses en 2012. Ten en cuenta que solo se citan los seis casos de cánceres más importantes, por lo que el porcentaje de muertes es más elevado.

En los HOMBRES, hubo 97.600 nuevos casos de cáncer y un total de 39.500 muertes, es decir, alrededor de un 40% de muertes.

	Nuevos casos	Muertes
Pulmón	13.300	10.800
Colon/recto	13.300	5.000
Próstata	26.500	4.000
Páncreas	2.200	2.100
Leucemia	3.200	3.500
Estómago	2.100	1.350

En las MUJERES, hubo 88.800 nuevos casos de cáncer y un total de 36.200 muertes, con la misma media de mortalidad que en los hombres, alrededor de un 40%.

	Nuevos casos	Muertes
Pulmón	12.300	9.400
Mama	22.700	5.100
Colon/recto	10.300	4.200
Páncreas	2.300	2.100
Ovario	2.600	1.750
Útero	5.300	900

En los hombres se oye hablar, sobre todo, del cáncer de próstata, aunque es el que presenta el menor porcentaje de muertes, en comparación con el número de casos registrados. En 2012, cada día, 73 canadienses fueron informados de que padecían cáncer de próstata; mueren 11 todos los días.

En las mujeres es muy similar el cáncer de mama. Se oye mucho sobre ello, aunque es el que tiene el porcentaje más bajo de muertes. Cada día, 62 canadienses fueron informadas de que padecían cáncer de mama, y alrededor de 14 mueren todos los días.

Se atribuye esta baja mortalidad principalmente a los programas de detección precoz, que ayudan a detectar los nuevos casos más rápidamente.

En general, los niveles de incidencia (nuevos casos) son estables en los hombres y aumentan ligeramente en las mujeres. La buena noticia es que el nivel de mortalidad disminuye, lo que indica que los índices de supervivencia para algunos cánceres se incrementan.

Aquí solo te he mostrado las estadísticas canadienses, pero no debe de haber mucha diferencia entre todos los países desarrollados. Si quieres más información para otro país, sin duda encontrarás sus estadísticas fácilmente haciendo algunas búsquedas en Internet.

La mayoría de las personas espera que la ciencia encuentre algún día una solución para el cáncer. Desde hace cuarenta años, varios miembros del sistema sanitario nos vienen diciendo que dentro de poco tendrán una solución para presentarnos. Desgraciadamente, este no es el caso. Aunque se ha podido comprobar una mejora en algunas personas, el número de casos de cáncer no ha cesado de aumentar en estas últimas cuatro décadas. Lo que también es lamentable es que aquellos en los que los tratamientos no dieron los resultados previstos han sido sometidos a la ablación de ciertas partes del cuerpo o ven afectada su supervivencia, ya que con el tratamiento las células sanas se ven atacadas al mismo tiempo que las cancerosas.

Durante mis investigaciones sobre el tema de las estadísticas a través de Internet, aprendí que los efectos secundarios de los medicamentos prescritos eran una de las mayores causas de muerte. Del mismo modo, anualmente se gastan miles de millones de dólares en medicamentos, y estas cifras tienden a incrementarse cada año. Esto me hace pensar en la visita que hice al hospital de nuestra región, cuando mi marido fue hospitalizado el año pasado. Cuál fue mi sorpresa al ver que a lo largo de todos los pasillos del hospital, solo se veían grandes mesas llenas de toallas, batas y otros efectos que se tendrían que haber guardado en armarios, ya que no había mucho espacio para moverse. Cuando le pregunté a la enfermera el motivo de ese atasco, me respondió que durante los últimos veinte años la cantidad de medicamentos ha

aumentado tanto que ocupan todo el espacio de los armarios que servían para guardar el material de las habitaciones
del hospital. Además me dijo que antes solo tenían un tipo
de medicamento para un problema específico, mientras que
hoy en día, hay veinte o treinta.

Por mi parte, soy consciente de que el progreso en el
ámbito farmacéutico ha permitido (y muchas veces aún lo
permite) proporcionar un alivio y estoy muy contenta de que
se recurra a él en caso de necesidad.

No obstante, cada uno de nosotros tiene el deber de utilizar más su discernimiento, al tiempo que permanece muy
alerta frente a las consecuencias. Por esta razón es muy importante que puedas informarte de todos los efectos secundarios de cada medicamento que tengas que tomar a largo
plazo. Los médicos pueden darte información, si lo deseas.
Pero ten en cuenta, sin embargo, que la mayoría de ellos no
lo hacen, ya que el miedo a los efectos secundarios, a veces,
puede provocar más daño que la propia enfermedad. Si estás
muy interesado, puedes encontrar todas estas informaciones
en Internet.

Todo esto es para mostrarte que no hay que esperar solo
y únicamente que la ciencia lo solucione todo. Lo mejor es
tener acceso a la medicina que elijamos y seguir nuestra intuición, pero al mismo tiempo mirar más allá de lo físico. En los
próximos capítulos veremos cómo es posible para todos nosotros continuar reduciendo estos niveles de mortalidad, cu-
rándonos y especialmente previniendo la aparición del cáncer.

El conjunto de estas estadísticas se basa principalmente en la enfermedad física, la diagnosticada y tratada por
la medicina. Lo que sobre todo quiero, querido lector, es

llevarte a descubrir cómo mirar y considerar esta enfermedad como una herramienta de aprendizaje, una manera de crecer, que podrá ayudarte a ser más consciente de aspectos maravillosos que hay en ti y que buscan emerger por medio del cáncer. Al hacerlo, podrás ayudarte a cambiar, incluso a mejorar las estadísticas, aunque, de hecho, estas son solo el reflejo temporal de una pequeña parte de la población en el momento del estudio.

Desde hace más de treinta años he tenido oportunidad de ser testigo de cómo millones de personas se han curado a sí mismas mediante el descubrimiento de que sus formas de pensar les impedían amarse de verdad y, por consiguiente, amar a los demás de una manera incondicional. A lo largo de los últimos años, he tenido suficientes pruebas para estar convencida de que existe una causa que va mucho más allá de la física detrás de todas las enfermedades, incluso aquellas consideradas como mortales. No estoy diciendo que todas las personas a las que he frecuentado se hayan curado, pero por lo menos hicieron un buen camino en lo que al alma se refiere, aunque su cuerpo ya no tenía la fuerza o la capacidad de recuperar su estado natural.

Mucho antes de que empezase con mi enseñanza, ya me planteaba las siguientes preguntas:

- ¿Por qué una persona con buena salud, que come bien, que no bebe, que no fuma y que hace ejercicio todos los días, desarrolla un cáncer?
- ¿Por qué una persona que tiene miedo del cáncer lo atrae, aunque otra que sienta el mismo miedo (como mi madre) no lo hace?

- ¿Por qué algunos fumadores empedernidos nunca desarrollan cáncer, aunque está demostrado que el tabaco es la causa principal del cáncer de pulmón?
- ¿Por qué una persona que lucha contra un cáncer generalizado y vuelve a casa con un pronóstico de tres meses de vida (una tía mía) muere cuarenta años más tarde de un problema cardiaco?
- ¿Por qué hay cada vez más cánceres, a pesar de los progresos aparentes de la ciencia?

Y tú, ¿qué preguntas te planteas? Posiblemente las mismas que yo... y muchas más. Si has decidido leer este libro es muy probable que tengas preguntas que se han quedado sin respuesta, aunque de momento sean inconscientes.

Ahora que tengo el placer de tener respuestas para todas estas preguntas, las comparto contigo a través de este libro, atreviéndome a esperar que te ayuden tanto como me han ayudado a mí.

Capítulo dos

EXPLICACIÓN CIENTÍFICA Y METAFÍSICA DEL CÁNCER

Antes de hacer la conexión entre el aspecto científico y el metafísico del cáncer, tengo que explicar brevemente cómo he conseguido encontrarla. Me di cuenta de la conexión entre el cuerpo y la manera de pensar y de vivir antes de la fundación de mi escuela, cuando los problemas físicos que sufría desde hacía varios años desaparecieron uno tras otro, después de cambiar mi forma de vida gracias a haber tomado conciencia de que podía hacerlo a través de mi alimentación. Todos los detalles se mencionan en mi libro *Escucha a tu cuerpo y come - ¡alto al control!*

Durante los últimos quince años, había descubierto el poder del pensamiento positivo al liberarme de varios problemas, entre ellos un dolor de espalda importante, mediante visualizaciones y programaciones. Sin embargo, solo fue una remisión temporal, ya que el uso del pensamiento positivo no es más que un medio puntual. Por consiguiente, siempre tenía que volver a empezar. De esta manera, descubrí que había algo mucho más profundo que se escondía detrás de todo malestar físico. Este fue el comienzo de mi viaje espiritual.

El hecho de utilizar un aspecto físico y de hacer una conexión con el aspecto psicológico se llama *metafísica*. Así pues, me divierte encontrar la correspondencia metafísica a todo lo físico. Para aceptar que siempre haya un aspecto más allá de lo físico, se debe acoger la idea de que el mundo físico no es más que un reflejo de todo lo que ocurre en los niveles emocionales y mentales. Pero, sobre todo, hay que aceptar que la enfermedad, o cualquier situación desagradable que se produce en nuestra vida, se puede comparar a la punta de un iceberg que emerge y que esconde algo mucho más voluminoso e importante.

> Cuanto más grave es la enfermedad o el problema que se vive, más indica esto que la parte escondida del iceberg es enorme.

Esta capacidad de ver el aspecto metafísico me condujo muy rápidamente al espiritual que existe en el seno de todos los mensajes, es decir, al descubrimiento de que todo malestar es una indicación de una falta de amor hacia uno mismo, que nos impide escuchar las verdaderas necesidades de nuestra alma.

Desde entonces, me alegra mucho leer libros de diversos médicos de varios países y hablar con otros que he conocido que están de acuerdo en que la enfermedad no es solo física, sino que es el reflejo de lo que ocurre en los planos de la psicología y del espíritu. Los considero como verdaderos médicos del cuerpo y del alma. Incluso Hipócrates, el padre de la medicina, el gran médico griego que existió hace casi dos mil quinientos años, afirmaba que era *el humor de la atra- bilis* —melancolía y tristeza— lo que se escondía detrás del cán- cer. De esta manera, distinguía cuatro humores diferentes y afirmaba estar de acuerdo con el vínculo entre el humor de la persona y las diferentes enfermedades que este podía causar.

En realidad, todos somos seres espirituales que me gusta visualizar como una bola resplandeciente de luz. Y esto también es válido para todos los seres vivos, ya sean de naturaleza mineral, vegetal, animal o humana. Esta luz está recubierta de una envoltura material para poder vivir en este planeta. Si ate- rrizásemos en otro, tal vez no seríamos capaces de ver la vida que lo anima, pues sería la propia de ese planeta. Es inconce- bible creer que la Tierra es el único planeta donde hay vida.

Nuestra envoltura material está constituida por tres cuerpos: mental, emocional y físico. Los cuerpos emocional y mental representan el aspecto psicológico en nuestra vida. Partiendo del hecho de que el cuerpo físico solo es un reflejo de lo que ocurre en el plano psicológico, es más fácil estable- cer las conexiones entre lo físico y lo psicológico.

Por tanto, tu luz interior representa tu aspecto espiri- tual, al que a menudo llamo nuestro DIOS interior. Es esta parte de ti la que sabe exactamente lo que necesitas, pero también la que conoce la razón por la que has vuelto a este planeta, es decir, conoce el plan de tu alma en esta vida.

Tu DIOS interior solo quiere tu felicidad en todos los sentidos de la palabra, y esto es así para cada uno de nosotros.

Si tomamos el buen hábito de seguir siempre a nuestra intuición y, por lo tanto, de escuchar la vocecita que ÉL utiliza, todo se desarrollará perfectamente bien en nuestra vida.

> Seguir el camino de DIOS significa estar en tu corazón, amarte, permitirte ser lo que eres en cada instante.

A lo largo de las encarnaciones y de los siglos, desgraciadamente, hemos olvidado a nuestro DIOS interior para terminar por creer que somos tres cuerpos. Sin embargo, estos han ocupado demasiado espacio. Nuestros tres cuerpos siempre tendrían que estar al servicio de nuestro DIOS interior, pero esto no es lo que sucede en realidad. Nuestros cuerpos se han convertido progresivamente en los dioses que nos controlan.

Tu cuerpo mental es el que te ayuda a pensar, a memorizar, a organizar. En cuanto a tu cuerpo emocional, él es el que te permite tener deseos y sensaciones. Por último, tu cuerpo físico es el que te permite pasar a la acción.

Tomemos el ejemplo de un joven que, desde lo más profundo de su ser, siempre ha sentido la necesidad de convertirse en pintor. Adora la pintura. Esta necesidad expresada viene de su DIOS interior. Para colmarla, tiene que utilizar las capacidades de sus tres cuerpos. Para asegurarse de que se mantiene centrado en lo que quiere, debe colocarse en una situación «como si» *todas las circunstancias fuesen perfectas y no molestasen a nadie.* Mentalmente, tiene que empezar a visualizar lo que tardará en alcanzar su objetivo, los estudios que tendrá que cursar, la duración, la cantidad de dinero que necesitará, etc.

A lo largo de su planificación, se mantendrá en contacto con lo que siente, la idea de poner en marcha su proyecto. En el caso de que le asalten las dudas, tendrá que volver a conectarse rápidamente con el objetivo que se ha fijado. A continuación, solo le quedará pasar a la acción.

En resumen, lo importante no es el tiempo que tardará en alcanzar sus objetivos, sino la felicidad que sentirá a medida que se vaya acercando. Por otro lado, es muy posible que tenga que buscarse otro trabajo para satisfacer sus necesidades, al tiempo que emprende y termina sus estudios. Mientras tanto, vivirá varios momentos de felicidad, solo con la idea de pensar que un día lo conseguirá, mientras no pierda de vista su objetivo.

Por desgracia, esto no es lo que ocurre en la mayoría de los casos. Es más probable que este joven se deje convencer por sus seres queridos de que este tipo de trabajo no es muy realista, que nunca llegará a triunfar y que sería mucho más inteligente dirigirse al ámbito del comercio, como su padre lo hizo toda su vida.

Si finalmente se deja influenciar por sus seres queridos, estos verán en él su reflejo, considerando que él cree lo mismo que ellos. Sus miedos seguramente lo arrastrarán y probablemente decidirá seguir sus consejos. Lo que ignora es que nunca será feliz con su decisión, se rechazará y se avergonzará de sí mismo el resto de sus días, aunque sea inconscientemente. Y es este sentimiento de resentimiento, de impotencia, de insatisfacción con uno mismo, incluso de odio, lo que innegablemente terminará por causar enfermedades de todo tipo, incluyendo, posiblemente, el cáncer.

LA UTILIDAD DE LA ENFERMEDAD

Por tanto, la enfermedad es una llamada de nuestro DIOS interior para que reconozcamos nuestro poder interno, para darnos cuenta de que, al ignorarla, indica una falta de autoestima. De una manera o de otra, a continuación se tratará de llenar esta falta con todo tipo de cosas o de sustancias que forman parte de nuestro mundo físico.

La importancia de la enfermedad es comparable a la urgencia del mensaje de nuestro DIOS interior.

Es una llamada DE SOCORRO de nuestra alma, que sabe que no cumplimos nuestro plan de vida según nuestras necesidades.

Cualquier enfermedad o problema que surge en nuestra vida siempre es el último medio que nuestro DIOS utiliza para llamar nuestra atención sobre una manera de pensar, que nos hace tanto daño como el problema en cuestión. Esto implica que se nos han enviado muchas otras advertencias por adelantado, tanto psicológicas como físicas, pero que nos hemos hecho los sordos.

Es como si nuestro DIOS, que solo desea una vida maravillosa para nosotros, nos dijese: «¿Cuándo vas a ser consciente de que ya es hora de cambiar de forma de vida, de que tomes nuevas decisiones, de que lo que haces en este momento te conduce directamente a lo contrario de la vida que necesitas y que te mereces?».

La enfermedad siempre es una indicación de que el que dirige nuestra vida es el ego en lugar de nuestro corazón.

El ego se crea a partir de energía mental y emocional, es decir, de varios recuerdos llenos de una carga emocional basada en el miedo. Con el tiempo, estos recuerdos se han vuelto tan importantes que ahora dirigen nuestra vida. También conocidos como *creencias nocivas*, nos alejan de lo que nuestro corazón necesita. Describiré con más detalle lo que realmente significa el ego en el próximo capítulo.

Nuestro DIOS interior quiere tanto nuestra felicidad que atrae hacia nosotros todo lo que necesitamos para volver a la luz, aunque no sea eso lo que nosotros quisiéramos en ese momento. Carl Gustav Jung, el gran psicoanalista que hizo importantes investigaciones sobre la *sincronicidad*, afirmaba que «formamos parte de un gran todo, conocido como conciencia colectiva». Constantemente atraemos a las personas y a las situaciones que necesitamos para tomar conciencia de partes de nosotros que aún nos son difíciles de aceptar.

A menudo utilizo la palabra «UNIVERSO» para representar esta conciencia colectiva. De hecho, nunca hay casualidad o coincidencia; es más bien que el *universo* está siempre en funcionamiento. También me gusta la manera que tiene Einstein de describir la palabra «casualidad»: «La casualidad es el nombre que DIOS se da cuando no quiere que se le reconozca».

Vuelvo al ejemplo del joven que he mencionado con anterioridad. Su alma fue atraída intuitivamente hacia una familia que posee las mismas creencias que él. Los seres queridos que influyeron en él para que no escuchase su necesidad de ser pintor sin duda no lo hicieron porque no le quisieran. En realidad, simplemente estaban dirigidos por su ego, por sus creencias. Este joven, a través de su DIOS interior, atrajo esa experiencia para tomar conciencia de sus propios miedos, que le dirigen, tal vez, desde hace varias vidas. Por tanto, esta es la oportunidad de tomar conciencia de una parte de su plan de vida, pues en esta Tierra con este tipo de familia puede recuperar el control de su existencia para después quererse lo suficiente a fin de tomar el camino de lo que realmente necesita.

Sin embargo, si sigue yendo en contra de su verdadera necesidad, es muy probable que termine por atraer una enfermedad, la cual le ayudará a tomar conciencia de las consecuencias de una decisión basada en el miedo y no en el amor.

> El dolor y las consecuencias negativas de una enfermedad tienen siempre la misma intensidad que el dolor vivido por el alma al no poder satisfacer sus necesidades.

Algunas personas creen en el destino, con el pretexto de que si tienen que morir de cáncer o de otra enfermedad, es su destino el que lo quiere así. Por el contrario, ¿por qué no decidimos creer que nosotros mismos creamos nuestro destino a lo largo de nuestra vida, atrayendo hacia nosotros todo lo que necesitamos para tomar conciencia? Cuanto más conscientes nos volvamos, más oportunidades tendremos de crear el destino que deseamos.

Otras personas creen, por su parte, que las enfermedades son genéticas o hereditarias, que es normal que tengamos las mismas patologías que nuestros padres biológicos. Hemos creído esto desde hace mucho tiempo, al igual que los médicos, pero estos últimos se han dado cuenta poco a poco de que varias enfermedades llamadas «hereditarias» realmente no lo son.

Después de un estudio realizado en un gran número de niños adoptados, un grupo de investigadores descubrió que estos tenían cinco veces más riesgo de padecer un cáncer si uno de sus padres ADOPTIVOS lo sufría. Esto confirma que los niños no heredan necesariamente las enfermedades de sus padres, sino que podrían desarrollarlas solo si deciden seguir manteniendo ciertas creencias despertadas por sus progenitores, ya sean biológicos o no.

MODIFICAR EL ADN

Desde que los científicos comenzaron a estudiar el ADN del ser humano, están descubriendo constantemente cosas nuevas. Por ejemplo, este mismo grupo llevó a cabo un estudio con gemelos idénticos y que, por lo tanto, han nacido con un ADN idéntico, para después descubrir que desarrollaban enfermedades diferentes y que algunos morían incluso con un intervalo de diez años. No tuvieron otra elección que la de confirmar que el ADN cambiaba con el tiempo, según los comportamientos y las actitudes de las personas.

La física cuántica ha llegado igualmente a esta misma conclusión, lo que demuestra que nuestra conciencia modela nuestro mundo. Además, los investigadores observaron electrones que, siendo volverse sólidos, se comportaban como ondas según la intención de quien los observase. Poco a poco, se dieron cuenta de que se podía cambiar nuestro ADN mediante nuestras intenciones. De hecho, son ellas las que nos ayudan a tomar decisiones diferentes, lo que según mi opinión es el factor decisivo para modificar el ADN.

Por otro lado, he aprendido que si adoptamos un nuevo comportamiento (o una nueva actitud) y lo ponemos en práctica durante al menos tres meses, se crea una conexión nueva entre dos neuronas. De hecho, el cerebro puede contener hasta varios miles de millones de neuronas conectadas entre sí. Son estas mismas conexiones las que nos hacen actuar de una manera habitual, representan nuestras creencias y nos hacen actuar sistemáticamente de la misma manera. Por ejemplo, recibes una crítica y tu primera reacción es la ira, aunque otra persona puede reaccionar de forma distinta.

Te propongo una explicación metafísica sobre el tema del ADN. ¿Podría ser que esta nueva conexión se hiciese al mismo tiempo que un cambio de nuestro ADN? Al escribir esto, pienso, entre otros, en Norman Cousins, un estadounidense que descubrió que su enfermedad se había extendido y que solo le quedaban tres meses de vida. En pocas palabras, salió del hospital, alquiló muchas películas divertidas y compró libros cómicos. Solo aceptaba las visitas de los que le hacían reír. Pronto observó que después de reírse quince minutos, no sentía ningún dolor durante dos horas y que podía descansar sin tomar medicamentos.

Después de algunos meses, se le declaró curado. Tras su experiencia, escribió un libro titulado *Anatomía de una enfermedad o la voluntad de vivir*, para después especializarse en la enseñanza de la curación mediante la risa. Fue en ese momento cuando empezó la risoterapia, que ahora se utiliza en todo el mundo. Cousins fue el primer estadounidense en ser nombrado profesor de medicina sin ser médico.

ESTE HOMBRE CAMBIÓ SU ADN. Aquí está la respuesta a una de mis preguntas formuladas en el primer capítulo en relación con una de mis tías, que también se curó al tomar una nueva decisión. La forma de nuestro ADN es la expresión de nuestros genes y estos, a mi entender, son la expresión de lo que creemos sobre los planos físico, emocional y mental.

> Esta es la razón por la que no somos prisioneros del bagaje genético con el que venimos al nacer.

Tu alma fue atraída por una familia que tiene las mismas creencias que tú y las mismas cuestiones que resolver. Esto explica por qué se dice en medicina y en psicología que si un padre padece cáncer, tiene depresión, es suicida... hay muchas probabilidades de que también el hijo tenga ese mismo problema. Estoy de acuerdo con este enunciado, pero solamente si el niño no cambia su actitud, si no hace nada por cumplir su plan de vida, que es transformarse para dejar de creer en cosas que le alejan del amor hacia sí mismo y hacia los demás. Por eso se dice que cada generación tiene que superar a la anterior. Y no hablo de una superación física, sino de una superación al nivel del alma y de la capacidad de amar.

> Por lo tanto, tu ADN no es quien manda, ni tampoco tus tres cuerpos, que tienen que estar al servicio de tu Yo Superior, tu ser espiritual, tu DIOS interior.

Resumiendo, la metafísica te ayuda a establecer la conexión entre lo que ocurre en tu cuerpo físico y lo que ocurre más allá de lo físico.

LO QUE SE ESCONDE DETRÁS DEL ASPECTO CIENTÍFICO

Cuando se lee la definición o la descripción detallada de lo que es un cáncer, esto dice mucho de las personas que lo padecen. Aquí te presento mi interpretación metafísica, basándome en la explicación científica:

Científica	Metafísica
El cáncer empieza con una célula de nuestro cuerpo que nos ataca.	La célula cancerosa corresponde a una parte de nuestro ego que nos juzga lo bastante culpables como para atacarnos.
El cáncer no proviene del exterior, como por ejemplo el hecho de verse afectado por una bacteria.	Nos atacamos a nosotros mismos. Nadie más nos ataca.
La célula ya no sigue su función natural, el código del ADN. Se multiplica sin cesar, adquiriendo cada vez más espacio y destruyendo todo a su paso.	La creencia nociva ya no sigue las leyes divinas del amor. Invade completamente a la persona, y esto en todas las esferas de su vida.

Científica	Metafísica
La célula cancerosa experimenta una regresión, como si quisiera convertirse en la primera célula formada por el óvulo de la madre y el espermatozoide del padre, que se tienen que dividir y multiplicarse para dar forma a un ser completo.	Esta parte de nosotros busca volver atrás, ignorando que destruye en lugar de construir algo nuevo. Aspira a reconstruir, a volver a empezar de nuevo para tener más espacio.
Una célula adulta normal conoce sus límites. Por ejemplo, las células que se multiplican para cicatrizar una herida saben detenerse en el momento en el que tocan los dos lados de la herida. La célula cancerosa ya no reconoce sus límites.	Al seguir a nuestro corazón, podemos saber intuitivamente cuándo alcanzamos nuestro límite. La parte de nosotros que sufre va más allá de sus límites de sufrimiento y, por tanto, ha perdido el control. Ha tomado demasiado espacio en nuestra vida.
Cuando el cáncer reaparece, se cree que las células han desarrollado resistencia y que la enfermedad es más virulenta, al igual que ocurre con las bacterias que desarrollan una resistencia a los antibióticos. Se tienen que crear cada vez más potentes. Esto es lo que sucede con los medicamentos, y más precisamente con los analgésicos.	Si no se ha querido entender el mensaje la primera vez, a causa de la resistencia de nuestro ego, este vuelve a la carga de una manera más significativa, pues quiere recuperar el control de nuestra vida.

Científica	Metafísica
También se dice que toda persona produce células cancerosas (una célula que quiere multiplicarse, una célula falseada) en distintos momentos de su vida, pero que el sistema inmunitario (saludable) las reconoce enseguida y las destruye. En el caso de un cáncer, las células nefastas son más fuertes que el sistema inmunitario.	El timo desempeña una función importante en la protección autoinmune. Este órgano también está directamente conectado con el chakra del corazón (que representa el amor a uno mismo). Por tanto, esto indica un sistema inmunitario demasiado débil para cumplir su trabajo.
Se sabe que las inflamaciones crónicas pueden transformarse en cáncer.	En metafísica, la inflamación es un signo de ira. Cuanta más ira se reprime, más posibilidades hay de cáncer.
También se sabe que la adrenalina nutre a las células cancerosas, generando de esta manera un desarrollo más rápido.	La adrenalina es la hormona que se libera en nuestro sistema para ayudarnos a afrontar el miedo. Por tanto, podemos deducir que cuanto más miedo tiene una persona, más rápidamente se desarrollan sus células cancerosas. Esto explica por qué algunos cánceres son más virulentos que otros.

También me gustaría hacerte partícipe de una investigación interesante sobre el sistema inmunitario. Oí hablar de esta investigación, realizada en una universidad estadounidense que se especializa en los fenómenos paranormales, hace muchos años. Los que dirigían esta investigación utilizaron a un grupo de estudiantes, verificaron el sistema inmunitario de cada uno de ellos y después los invitaron a ver dos películas.

Después de ver la primera película (que incluía violencia), el examen de su sistema inmunitario demostró que, en la mayoría de los casos, se había debilitado mucho. La segunda película era sobre la Madre Teresa cuidando a los leprosos, tomándolos en brazos para reconfortarlos y darles amor. Al no estar acostumbrados a este tipo de películas, varios estudiantes parecían incomodos; sin embargo, tuvieron que verla hasta el final. Después de una segunda verificación de su sistema inmunitario, los médicos constataron que su fuerza había aumentado, en comparación con el primer examen.

Por lo tanto, llegaron a la conclusión de que el amor y la serenidad refuerzan el sistema inmunitario, ayudándolo a cumplir lo que tiene que hacer, mientras que la violencia, el odio y la ira lo debilitan, haciéndonos, de esta manera, menos resistentes a todo lo que nos puede atacar.

A lo largo de los siguientes capítulos añadiré muchas otras explicaciones e informaciones a las mencionadas en la tabla anterior.

Desde hace mucho tiempo, se ha podido establecer una conexión entre el cáncer y las emociones reprimidas. Por mi parte, oí hablar de ello por primera vez durante los años setenta, cuando hacía talleres de crecimiento personal en las escuelas estadounidenses. Esto se conoce como *la enfermedad de las emociones*.

Ya a principios del siglo pasado, varios psiquiatras, empezando por Sigmund Freud y siguiendo por su discípulo Wilhelm Reich, así como Carl Gustav Jung, establecieron la conexión entre los problemas de salud y el aspecto psicológico de la persona. Jung decía: «Lo que no queremos reconocer en nosotros invariablemente se manifestará en nuestro cuerpo».

En la mayoría de los países, desde hace más de cincuenta años, cada vez más médicos escriben sobre este tema, de los cuales el más conocido, el doctor Carl Simonton, fue un gran pionero. Cada uno presenta una visión personal muy interesante y te animo a leer sus libros para ampliar tus horizontes.

Siempre es un placer oír a un nuevo participante decirnos que es su médico el que le ha sugerido venir a realizar talleres en nuestra escuela para comprender mejor el sentido de su enfermedad. En todos los países en los que enseñamos esto ocurre todas las semanas.

Cuando alguien nos dice que ya no confía en la medicina tradicional y que se niega a ir a ver a un médico, le sugerimos encarecidamente que se busque uno más abierto o que se dirija hacia otra medicina de su elección. Lo que más importa es que, al tiempo que se ocupa del plano físico, también tiene que ayudarse con un trabajo interior, siguiendo los mensajes que le envía su enfermedad. Tienes que saber que la medicina, la metafísica y la espiritualidad pueden trabajar conjuntamente.

En los próximos años, estoy convencida de que habrá cada vez menos médicos o terapeutas que intentarán convencer a sus pacientes de que solo su método puede conseguir aliviarlos o curarlos. Incluso yo misma he asistido a talleres cuyos organizadores estaban tan convencidos de poseer la única verdad para todos que nos prohibieron utilizar sus métodos sin su permiso.

Aquellos que se complacen con este tipo de actitud, desgraciadamente, emplean sus métodos para demostrarse que existen. Sueño con el día en que todos los médicos y terapeutas deseen solo el bienestar de sus pacientes, utilizando todos los medios posibles para lograrlo. Todos sabemos que, en el mundo, existen numerosas denominaciones para nombrar a DIOS e innumerables formas de contactar con él, igualmente hay muchos medios para manejar la enfermedad. Lo que importa es lo que el enfermo decide al final.

> Tú eres el único que posee el poder de elegir la medicina que prefieras. Por lo tanto, utiliza este poder por amor hacia ti.

Es tu cuerpo y es tu vida. Por consiguiente, eres la única persona que asume las consecuencias de tus decisiones. Acuérdate de que tienes que confiar en quien te cura. De lo contrario, tus probabilidades de curación se verán muy disminuidas. También puedes ayudarte con varias disciplinas al mismo tiempo, ya que todas ellas son capaces de aportarte algo, siempre que sean de tu elección.

Esto me hace pensar en todas las personas que desde hace treinta años me han preguntado quién era mi maestro, mi gurú. Por mi parte, nunca me he querido adherir a las enseñanzas de una sola y única persona. Desde hace más de cuarenta y cinco años, he asistido a muchos talleres, así como he leído innumerables libros, que siempre me han aportado algo nuevo.

Cuanto más abierto estés a la inteligencia y a los conocimientos de los demás, más capaz serás de desarrollar los tuyos. A lo largo de estos años, conseguí desarrollar inconscientemente una gran capacidad de síntesis con todo lo que absorbí de los demás. Sin previo aviso, una idea surgió en mí, una idea que me parecía particularmente apta y verdadera. De hecho, esos momentos de inspiración siempre son una gran fuente de felicidad para mí, al tiempo que me infunden mucha energía.

Es lo mismo que ocurre con la medicina. Cuanto más se interese un médico o terapeuta en diversas disciplinas, más desarrollará un espíritu de síntesis y más herramientas tendrá para ayudar a sus pacientes. Y sabrá intuitivamente lo que necesita para cada caso. Tengo la suerte de conocer a un gran número de estos médicos, a los que también me gusta recomendar. Cuando todos los médicos y terapeutas sepan convencer a sus pacientes de que solo ellos tienen el poder de curarse de verdad, y no solamente de aliviarse, estoy convencida de que habrá muchas más curaciones.

LA IMPORTANCIA DE LA INTELIGENCIA

En el mismo sentido, me atrevo a esperar que un día nos encontremos con grandes eruditos, como teníamos antaño, que puedan hacer una síntesis de todo lo que los especialistas habrán podido descubrir. Desde hace cincuenta años, la ciencia produce cada vez más especialistas en todos los ámbitos, al parecer cada uno con su verdad, lo que a menudo conduce a la contradicción. Cuando hablo de los grandes eruditos de antaño, me viene rápidamente a la cabeza Leonardo da Vinci, que era a la vez artista, científico, ingeniero, inventor, anatomista, pintor, escultor, arquitecto, urbanista, botánico, músico, poeta, filósofo y escritor. ¡No está mal para un solo hombre!

Creo sinceramente que todo es posible, ya que ahora entramos en la Era de Acuario, que será una gran época para el desarrollo de la inteligencia, así como para la visión global de todos los ámbitos. Ya sentimos la energía de Acuario, especialmente desde los años sesenta. De hecho, grandes transformaciones tienen lugar en nuestro planeta y las personas tratan de informarse cada vez más.

Esta será una época altamente espiritual gracias a la que recibiremos cada vez más energía para ayudarnos a aceptar *ser* lo que somos en cada instante, más que buscar constantemente *el tener* y *el hacer*.

> No «tenemos» o «hacemos», somos SERES humanos.

Esto implica que la dimensión material tiene que estar al servicio de la dimensión espiritual. Además, todo se acelera –incluyendo el tiempo– con esta nueva energía. Recibimos mucho del más allá para aumentar nuestro poder interior. Desgraciadamente, muchas personas utilizan su poder de una manera indebida, es decir, crean lo que no quieren, en lugar de crear lo que quieren.

¿CUÁL ES LA DIFERENCIA ENTRE UNA PERSONA INTELIGENTE Y UNA INTELECTUAL?

Una persona *inteligente* es la que busca encontrar soluciones que puedan responder a sus necesidades globales, que busca, por lo tanto, lo que es beneficioso y que siempre es consciente de la ley de causa y efecto. Este tipo de personas no quiere inventar o utilizar como solución algo que pueda aportarle efectos nocivos, ni tampoco al entorno y al medioambiente.

Una persona *intelectual* es la que busca adquirir conocimientos y posee una gran capacidad de memorización. Para este tipo de personas, tener conocimientos es más importante que tener sentimientos.

Descubrí esta diferencia cuando trabajaba en el sector de las ventas. Entonces me di cuenta de que el que conocía muy bien su producto, pero estaba mucho más preocupado por no olvidar ni un detalle y por hacer una exposición perfecta, no tenía mucho éxito como vendedor. Por el contrario, el que estaba convencido de los beneficios de su producto y se aseguraba de que fuese beneficioso para su cliente tenía mucho más éxito, aunque a veces se olvidara de algunos detalles del producto. El cliente podía sentir mejor su presentación. Fue después de varios años trabajando en este campo cuando finalmente entendí la razón de mi éxito, ya que actuaba como este último, naturalmente.

Lo ideal es ser tanto intelectual como inteligente, acordarse de que nuestro intelecto siempre tiene que estar al servicio de la inteligencia. Si alguien se acuerda, por ejemplo, de todos los detalles de su producto, al tiempo que siente sus beneficios, tenemos la imagen de una persona inteligente e intelectual.

Me atrevo a esperar que cada vez habrá más médicos y terapeutas que estarán cualificados por su inteligencia además de por sus conocimientos, lo que implicará una mayor capacidad de escucha y de compasión para con el paciente. Pienso, entre otros, en un incidente que ocurrió en el convento de religiosas cuando yo era adolescente. Estábamos haciendo un examen y teníamos que hacer una redacción de al menos diez páginas. Créetelo o no, pero era la asignatura que menos me interesaba en aquella época. Cuando supe que había tenido una nota mucho mejor que la de mi amiga porque no había tenido ningún error ortográfico, encontré esto muy injusto y muy poco inteligente. De hecho, mi amiga escribía muy bien, con mucha imaginación y poesía, pero desgraciadamente era negada en gramática. Para mí, aquello no era un examen de gramática, sino de redacción.

Afortunadamente, los tiempos cambian. Desde hace más de treinta y tres años enseño la filosofía de *Écoute Ton Corps* en más de veinte países, y confirmo que se está produciendo una gran apertura de conciencia y de inteligencia por todas partes. Estamos ante una gran revolución de la conciencia que requiere ser más inteligente y que al mismo tiempo aportará una gran revolución científica. Esto se ha podido comprobar con la aparición de la *física cuántica*, que vuelve a poner en cuestión una serie de antiguas teorías y creencias del mundo científico.

Desde el descubrimiento del ADN, las investigaciones genéticas también generan muchas cuestiones que aún siguen sin respuesta. Por ejemplo, se ha descubierto que un mono tiene en un 99% los mismos genes que un humano; las mayores diferencias en los humanos son la conciencia, la inteligencia, la capacidad de hacer grandes descubrimientos, etc. Pero hasta la fecha, los científicos no han podido encontrar los genes de todos estos criterios.

¡Qué buena noticia! Finalmente se descubre que el ser humano no solo está formado por el cuerpo físico.

Capítulo tres

LA INFLUENCIA DE LA HERIDA DEL RECHAZO

H e mencionado anteriormente que muchos investigadores y autores aportan versiones muy interesantes y diferentes debido a sus investigaciones y observaciones. Para
mí esto es así. Aunque esté de acuerdo en que las emociones
reprimidas tienen una influencia directa sobre el cáncer, mi
enfoque quiere asociar las emociones a la herida del RECHAZO.

Estas son algunas de las explicaciones que utilizo desde
hace más de veinte años para la teoría de las heridas y que
aportan muchas respuestas a problemas de todo tipo vividos
por cada uno de nosotros.

Esta teoría mantiene, entre otras cosas, que nacemos
con cinco heridas en el alma: *el rechazo, el abandono, la humillación, la traición y la injusticia*. Según las observaciones que he
podido realizar durante todos estos años, mi conclusión es
que todos nacemos con al menos cuatro de estas cinco heridas (la humillación es la única que no es común para todos).

Estas heridas se viven en diferentes grados. Del mismo modo, la mayoría de la gente acumula al menos dos heridas graves, que también se activan con más o menos frecuencia y fuerza, según las situaciones que vivimos y las diferentes personas que frecuentamos.

Cada herida fue despertada por nuestros padres —o por aquellos que desempeñaron esa función— desde el nacimiento hasta la edad de siete años (utilizo la palabra «despertada» porque la herida ya está inscrita en nuestra alma antes del nacimiento). De hecho, las investigaciones psicológicas han demostrado que durante nuestros primeros siete años en la Tierra ya hemos vivido todas las emociones que viviremos el resto de nuestros días, así como hemos desarrollado todas nuestras creencias. Después de los siete años, todo son repeticiones para ayudarnos a tomar conciencia de lo que es aceptado o no por cada uno de nosotros.

Desgraciadamente, la conciencia no se despierta con la suficiente rapidez, ya que muchas personas de sesenta años aún viven las mismas emociones que vivieron a los seis años con sus padres o seres queridos. Por otro lado, algunos son conscientes de las emociones que viven, pero no toman nuevas decisiones que podrían ayudarles a vivir en paz interior. Muchas escuelas de pensamiento están de acuerdo en decir que, por término medio, las personas son apenas conscientes de un 10% de lo que ocurre en ellas. Afortunadamente, la nueva época en la que entramos nos ofrece cada vez más medios para despertar la conciencia, lo que me lleva a creer que en los próximos años se harán grandes progresos en este despertar.

En mi libro sobre las heridas[1] explico con detalle cada una de las cinco heridas, incluyendo cómo reconocerlas en el cuerpo físico, las diferentes actitudes para cada herida cuando esta se activa, cómo curar las heridas y la transformación beneficiosa que se da en la persona a medida que sus heridas se curan. Por tanto, en el presente libro voy a centrarme únicamente en la herida del rechazo, que según mi opinión es la más activada y constituye la fuente de las emociones reprimidas, bastante importantes como para causar un cáncer.

RESISTENCIA Y DISCERNIMIENTO

Es posible que sientas cierta resistencia en ti a la hora de leer lo que acabo de afirmar o lo que va a seguir. Evita combatir esta resistencia, ya que puede ayudarte a tener un cierto discernimiento. Te recuerdo que todas las teorías de las que has oído hablar hasta ahora, así como otras innumerables teorías que aparecerán cada vez más gracias a la apertura del conocimiento y de la conciencia, no son necesariamente lo que necesitas. Resumiendo, tienes que utilizar tu discernimiento y tu intuición para decidir lo que realmente te conviene.

Para ello, es aconsejable ir hasta el final de la teoría, al tiempo que estás atento a lo que sientes. Si una nueva teoría aporta nuevas respuestas a tus preguntas, o una mayor claridad y comprensión en ti, y contribuye a que te sientas mejor, sabrás que, *por el momento*, es adecuada para ti. Si tienes dudas o sientes algún malestar al leer o escuchar una nueva teoría, asegúrate de que esto proviene de tu intuición y no de los miedos basados en lo que aprendiste en el pasado, como ya he mencionado al principio de este libro.

---

1. *Las cinco heridas que impiden ser uno mismo.*

EL EGO Y LAS CREENCIAS

Toda resistencia es una indicación de que el ego ha tomado las riendas. ¿Qué es el ego? Concretamente, es la totalidad de nuestras creencias. Por tanto, es la fuente de todos los problemas, tanto físicos como emocionales. Pero ¿cómo ha podido desarrollar la raza humana tal ego que, desgraciadamente, dirige la vida de la mayoría de las personas? Para comprender mejor su importancia, se tiene que aceptar el hecho de que el alma llega con sus maletas de innumerables vidas, lo que explica que el ego se incrementa una vida tras otra, siempre y cuando le permitamos que lo haga al legarle nuestro poder.

Tan pronto como tus pensamientos se detengan en algo que te confunda, te preocupe, te haga vivir emociones o miedos, ya no estás centrado, es tu ego el que ha tomado las riendas. Tienes que saber que este se basa siempre en lo que ha aprendido y que tiene muchas dificultades para abrirse a algo nuevo. Cuando estás centrado, no hay malestar interior y puedes vivir el momento presente.

Por ejemplo, cuando te llega una idea de manera espontánea, proviene de tu DIOS interior y no de tu mente. Tan pronto como te cuestiones esta idea con inquietud, es el ego el que está actuando, como si se cuestionase cada nueva idea que provenga de otra persona. Su eslogan es: «Si no piensas como yo, si crees en algo diferente a mí, eres menos que yo y estás equivocado».

Permanecer en el momento presente cuando tengas una nueva idea o alguien te aporte una, sería simplemente grabarla mentalmente o anotarla, y dejar al universo hacer su trabajo dentro de ti. A continuación, solo te queda confiar en tu DIOS interior, que incesantemente te guiará para saber cuándo y cómo ir más allá con esta idea.

Es tu ego el que se aferra a los bienes, los placeres, las personas, los sufrimientos, etc. Él es el que constantemente quiere demostrar que es superior con todo aquello a lo que se aferra. También quiere demostrarte, así como a todos los que te rodean, que es tan importante que puede dirigir tu vida por ti. Lo que el ego no sabe es que no tiene ni idea de lo que tu ser necesita, ya que está creado por energía mental, recuerdos y creencias. Por lo tanto, se basa en estas últimas para decidir lo que es bueno o no para ti.

> Una creencia empieza en el momento en que creemos haber lastimado a otra persona y hemos sentido miedo. Decidimos que ser y actuar de esta manera estaba mal y que ya no teníamos que ser así a fin de no revivir ese miedo.

POR LO TANTO, NO NOS HEMOS ACEPTADO. Es la **decisión** de *ya no ser así* la que empieza a crear la creencia. Más adelante, cada vez que actuemos de esta manera, que veamos a alguien actuar así con nosotros o con los demás o que seamos así con nosotros mismos, consideraremos que esto está MAL y añadimos otra capa de intensidad a la creencia y al miedo.

La mayoría de nosotros tomamos conciencia de una creencia cuando otra persona actúa de determinada manera con nosotros, y ello no nos gusta. Esto nos ayuda a darnos cuenta de que es una señal de que ya hemos sido así con nosotros mismos, y también con otras personas.

Es muy importante acordarse de que siempre lo que nos afecta es nuestra reacción y no el comportamiento de los demás. Cuando un comportamiento no nos guste, tenemos que comprobar enseguida cómo juzgamos a esta persona. Todo juicio hacia alguien, incluso cuando las circunstancias no te conciernen, indica que no aceptas este tipo de comportamiento, ya que tu ego cree que está mal. Volveré varias veces a esto a lo largo del libro.

Cada una de tus creencias está asociada a una o varias heridas. Si la misma creencia despierta dos heridas, es señal de que es una creencia muy fuerte que lleva a un gran poder de resistencia y de control en tu vida. Cuanto más fuerte sea esta creencia, más capacidad tendrá de jugarnos malas pasadas, de hacernos creer que no eres así, que solamente los demás lo son. Por lo tanto, se puede deducir que el que tiene la reputación de tener un gran ego simplemente es un gran sufridor, ya que sus heridas son muy importantes.

Veamos el ejemplo de una niña recién nacida que rechaza la lactancia materna, ya que intuitivamente siente muchas perturbaciones emocionales en su madre. Esta, que estaba muy impaciente por vivir la experiencia de la lactancia, se siente infeliz por esta situación, se vuelve más fría hacia su bebé y le da el biberón, sin afecto. No se da cuenta de que es su herida del rechazo la que acaba de ser activada por la actitud de su bebé.

La madre se siente rechazada, así como la niña, y aquí empieza el círculo vicioso que continuará siempre y cuando ambas no encuentren la manera de desarrollar el amor entre ellas. La vocecita que les dice: «Debo ser muy negada y nada importante para que la persona que quiero no me quiera», se activa cada vez más rápido, a medida que se refuerza la creencia.

Cuanto más importantes sean las heridas a fuerza de ser activadas una vida tras otra, más creencias hay asociadas a cada una de ellas. De esta manera, el poder del ego puede tomar proporciones enormes. Hace tanto tiempo que los seres humanos le dejamos que nos domine que hemos terminado por olvidar nuestro poder divino, con toda nuestra capacidad de crearnos una vida agradable.

> Nuestro ego se tiene por nuestro Dios, ya que somos nosotros mismos los que lo hemos creado y le hemos dado todo nuestro poder.

Nos encontramos en un momento crucial en este planeta en el que tenemos que recuperar absolutamente nuestro poder dejando de alimentar al ego con energía. Al no ser alimentado, terminará por disminuir poco a poco.

LA HERIDA DEL RECHAZO ACTIVADA

Tu herida del rechazo se activa tan pronto como te sientas rechazado por otra persona, te rechaces a ti mismo o creas haber rechazado a alguien. Este comportamiento es tan sutil que para la mayoría de las personas es muy difícil darse cuenta con rapidez.

¿Por qué es tan difícil? Porque es la herida que más duele de entre las cinco. Es la única que toca el SER en lo más

profundo. Esta herida ya está muy despierta antes del nacimiento, en el estado fetal, ya sea debido a los diferentes sonidos, ruidos o conversaciones que el bebé oye y siente de
su madre, o de los que provienen del exterior. Por ejemplo,
tomemos el caso en que uno de los padres, incluso los dos, no
parece desear a este niño en ese momento. Palabras como:
«Por lo menos espero que sea un niño y no una niña», pese a
que el bebé es una niña, o: «¡Ah no, nada de embarazos! No
es realmente un buen momento», llegan al bebé aunque no
seamos conscientes de ello.

Debido a su herida del rechazo, el bebé recibe este tipo
de pensamiento como una puñalada. Está convencido de que
su padre lo ha emitido porque no lo quiere, cuando él solo
habla de sus límites del momento o de un problema personal.

> Lo que la mayoría toma como un rechazo solo es en
> realidad la expresión de algunas limitaciones en la otra
> persona.

La herida del rechazo siempre se despierta por el padre
del mismo sexo o por el que ha desempeñado esa función al
nacer. Posteriormente, continúa activándose cada vez más
por las personas de nuestro mismo sexo, aunque también la
pueden activar personas del sexo opuesto.

Tan pronto como el bebé empiece a sentir el dolor de
esta herida, su primera reacción será la de tratar de huir al
mundo del alma, allí donde pueda creer que todo va bien. Es
por eso por lo que, cuanto más importante sea la herida de

rechazo de una persona, más fácil le será huir a su mundo, un mundo irreal que se habrá creado ella misma.

Más tarde, se dirá que esta persona está a menudo *en la luna*. Algunos incluso llegan a crear personalidades múltiples, un problema psicológico en el que no se acuerdan de lo que han hecho en el momento en el que se revisten con una personalidad secundaria. A lo largo de nuestra vida, utilizamos varios medios de huida para intentar no sufrir. Desgraciadamente, el sufrimiento está muy presente, aunque enterrado en lo más profundo de nosotros.

Sin duda, empiezas a entender por qué esta herida es la que tiene más capacidad para desarrollar un cáncer, ya que todo se encierra en uno mismo. Al no ser ya nosotros mismos, es como si nos pusiésemos una máscara para que nadie sepa lo que sentimos, lo que vivimos. Cada herida posee su propia máscara, y cada máscara se reconoce por el comportamiento de la persona. La máscara asociada a la herida del rechazo se conoce como el HUIDIZO.

Este es el comportamiento y la actitud de una persona que se ha puesto su máscara de *huidizo*. Aunque ya estés al tanto de tus heridas, insisto en recordar las características del *huidizo*, lo que ayuda especialmente a establecer la conexión entre la actitud y el cáncer. Quiero precisar que las siguientes características se encuentran en una misma persona que presenta una herida de rechazo importante. Como cada una de nuestras heridas tiene diferentes grados de importancia, puede que algunas características no se apliquen a tu caso.

LA MÁSCARA DEL HUIDIZO ACTIVADA

- El huidizo cree profundamente que no vale nada o muy poco. Se considera como un inútil y sin valor. Tiene una autoestima muy baja.

- Está convencido de que si no existiese, no habría mucha diferencia para su entorno.

- Se siente cohibido e incomprendido por los demás.

- Desde una edad temprana, está convencido de que nadie quiere escucharle, lo que hace que hoy en día se encierre. Cree que no tiene derecho a hablar.

- Constantemente está al acecho, lo escucha todo y escucha atentamente las palabras que utilizan los demás, lo que a menudo le conduce a distorsionar la realidad y a deducir que la otra persona lo está rechazando.

- Por lo general, habla poco y se retira del grupo. Se le considera como un ser solitario y se tiende a querer dejarlo solo.

- Cuando más reprimida está su herida, más se apaga su voz.

- Cuanto más se aísla, más invisible parece que se vuelve.

- Es un especialista de la negación, a fin de creer que algunas cosas no le molestan o que algunos hechos no se han producido realmente.

- A menudo asegura que todo va bien por miedo a molestar, a avergonzar a los demás con sus problemas.

- Al recurrir a menudo a la negación, no puede sentir o experimentar sus límites físicos y emocionales.

- Tiene tendencia a querer negar lo que les ocurre a los demás diciéndoles: «No te preocupes, no es grave, piensa en otra cosa».

- No da mucha importancia a las cosas materiales: lo que está unido al mundo invisible y a los conocimientos le atrae más.

- Es un gran perfeccionista que, al envejecer, tiene cada vez más miedo a la idea de no estar a la altura de sus propias expectativas y de las de los demás. Poco a poco desarrolla un carácter obsesivo.

- Utiliza a menudo las siguientes palabras en su vocabulario: «inútil», «nada», «desaparecer», «inexistente», «ningún lugar».

- Se niega a sentir su dolor, lo minimiza al máximo y no hace más que dar explicaciones.

- Cree ser sus creencias y siente una gran dificultad para disociarse.

- Se cree ser lo que hace: «Si hago el bien, soy bueno».

- Le falta tanto amor por sí mismo que lo busca a su alrededor, al tiempo que es incapaz de aceptarlo, ya que se cree demasiado inútil para merecerlo.

- No quiere ser como su padre del mismo sexo. Por lo tanto, se siente perdido o impotente ante la idea de no tener un modelo.

- Se odia en el mismo grado que odia a su padre del mismo sexo.

- Puede que se crea que es el padre del sexo opuesto el que le odie más, pero cuando este es duro o violento con él, aún está más en contra de su padre del mismo sexo por no salir en su defensa, sintiéndose rechazado por él. En un caso como este, se activa otra de las cinco heridas con el padre del sexo opuesto.

- Su mayor miedo es el PÁNICO.

Es muy posible que no te veas así, pero ten cuidado con la negación, ya que puede jugarte fácilmente malas pasadas. De hecho, te sugiero que verifiques con tus seres queridos, y en particular con los que no tienen miedo de ser sinceros, cómo te ven, te perciben, a qué características te asocian, etc. A menudo es más fácil para los demás comprobar hasta qué punto una persona se rechaza. Cuando negamos, adoptamos además otra personalidad para hacernos creer (y hacer creer a los demás) que no somos así. Podemos parecer seguros de nosotros mismos, cuando en lo más profundo sentimos un miedo terrible a ser criticados. La negación es un medio muy utilizado para huir de una situación desagradable.

El *huidizo* está convencido de que solo la huida, manifestada de varias formas, puede ayudarle a vivir sin tener que sentir el dolor del rechazo. No solo se puede huir escapando físicamente de una situación, sino también a través del sueño, las medicinas, el alcohol, las drogas, el tabaco, la comida, etc. Esta es la razón por la que se dice a menudo que un cigarrillo, el alcohol o la comida causan cáncer. Recuerdo que de joven, el medio que encontré para huir era ir de compras. Iba a una tienda y me compraba algo que realmente no necesitaba, un pequeño lujo, ya sabes. Volvía a casa sintiéndome bien. De esta manera corría un tupido velo sobre el sentimiento de miedo que entonces estaba viviendo.

No te preocupes, hay muy pocas personas que se ven constantemente con las actitudes y los comportamientos que acabo de citar. Es solo cuando tu herida de rechazo está activada y decides (inconscientemente) llevar tu máscara de *huidizo*, cuando manifiestas este tipo de actitud. A menudo, el ponerse la máscara es una reacción automática, y de esta manera se adoptan uno o varios de los comportamientos citados anteriormente.

Cuanto más heridos nos sentimos, más rápida e importante es nuestra reacción. Pues, creemos que así sufrimos menos.

Como puedes darte cuenta, la persona que se pone su máscara de *huidizo* tiene, por lo general, tendencia a querer aislarse y a no compartir lo que siente, en la medida en que es incapaz de sentirlo ella misma desde hace mucho tiempo. Las veces que siendo más joven intentó hablar, sintió que sus padres no querían escucharla. Así aprendió a encerrarse cada vez más. Sintiéndose herida, le era imposible imaginar que sus padres pudieran estar abiertos a escucharla, aunque en otro momento. Su herida (a través de su ego) la convenció de que tenía razón en sentirse inútil.

Si has generado este comportamiento por parte de uno de tus progenitores, tienes que darte cuenta de que la causa es tu creencia de ser tan inútil y de que nadie puede estar interesado en lo que te ocurre. No son tus padres los que han decidido rechazarte.

Según tus padres, ellos no te rechazaron, simplemente expresaron sus limitaciones. Además, tan solo eran tu reflejo inconsciente.

Cada acontecimiento de tu vida, agradable o no, se produce o se desarrolla según lo que ocurre en lo más profundo de ti. Esto explica, entre otras cosas, que puede que no hayas elegido el momento adecuado para hablar con tu padre, o incluso que este no fue capaz de utilizar las palabras adecuadas para expresarse.

Para obtener un poco de reconocimiento, el *huidizo* busca SER tan perfecto que termina por convencerse de que solamente sus buenas acciones demuestran que existe. Motivado por el miedo a no ser perfecto, atraerá inevitablemente el objeto de su miedo, se equivocará y terminará por sentirse otra vez rechazado. ¡Qué círculo vicioso!

Una chica compartió conmigo que cuando era más joven, se escondía detrás de un sillón para comprobar cuánto tiempo tardaría el resto de la familia en descubrir su ausencia. Permanecía allí varias horas, lo que confirmaba su creencia de que les importaba tan poco que nadie se daba cuenta de su ausencia.

El *huidizo* es también un verdadero especialista en deformar la realidad, al tener una imaginación desbordante que continuamente le juega malas pasadas. La imaginación es, sin duda, uno de los grandes regalos de la raza humana, pero, desgraciadamente, demasiadas veces se la utiliza en detrimento de las propias necesidades.

¿Has cometido alguna vez un error en el trabajo que, desafortunadamente, haya ocasionado problemas a alguien? Te has disculpado y los afectados han aceptado tus disculpas y te han dicho que todo el mundo se equivoca. Pero si sigues pensando constantemente que eres inútil, idiota, irresponsable, sin inteligencia…, estás distorsionando la realidad. La realidad es, probablemente, que querías hacer demasiadas cosas al mismo tiempo, que no has tenido cuidado en volver a comprobar tu trabajo y que nunca quisiste perjudicar a nadie. Te has disculpado, eso es todo, y ahora la vida tiene que continuar.

Esta forma de actuar explica bien el carácter obsesivo que se desarrolla en el *huidizo*, en el mismo grado que la importancia de su herida del rechazo. Piensa constantemente en las situaciones pasadas o futuras, lo que le hace difícil permanecer en el momento presente y aceptarse.

Se desvaloriza tanto que constantemente siente un gran miedo de ser él mismo y de ocupar su lugar. Teme que si lo ocupa, todo el mundo descubrirá hasta qué punto es inútil. Pero si no ocupa su propio lugar, ¿cómo podrían dárselo los demás? De hecho, solo él tiene el poder de ocupar el lugar que le corresponde, naturalmente. El *huidizo* quiere tanto que los demás le den un lugar que no puede hacer otra cosa que intentar ser perfecto, según su versión perfeccionista.

Por esto, no es realista. El *huidizo* es un perfeccionista-idealista que se crea ideales inalcanzables. Es interesante saber que lo opuesto a la palabra «ideal» es «realidad». Por lo tanto, cuanto más idealista sea, menos realista se vuelve.

> Ser perfeccionista es muy útil, siempre y cuando nos mantengamos realistas y reconozcamos nuestros límites.

El *huidizo* sufre de falta de amor, hasta el punto de desarrollar odio hacia sus padres, que no supieron llenar este vacío. Como el alma se ve atraída por un padre del mismo sexo que le servirá de modelo, el niño sentirá animadversión hacia ese padre por no ser un buen modelo. No queriendo ser como ese padre, se encuentra sin modelo. Se siente muy decepcionado por este padre que ignora cómo manifestarle el amor que tanto busca y que no sabe reconocer ni darle el lugar que él necesita. Por lo tanto, es normal y humano que termine por tener algo en contra de este padre, ya que es quien, casi siempre, le ha ocasionado su primer gran dolor emocional.

Siendo un bebé, uno no tiene la madurez necesaria para saber que este padre no puede darnos o transmitirnos el amor que buscamos, ya que él también sufre de rechazo. Él tampoco se reconoce. Él tampoco ha tenido de modelo a un padre del mismo sexo al que admirar, tampoco ha recibido el amor que tanto deseaba de él. Esto continúa así de generación en generación, con el mismo sexo, siempre y cuando no seamos capaces de desarrollar la autoestima, es decir, la aceptación de lo que somos. Volveré a este tema en el último capítulo.

LA CONEXIÓN ENTRE LA HERIDA DEL RECHAZO Y LA DE LA INJUSTICIA

La mayoría de las personas empiezan a desarrollar su herida de injusticia alrededor de los cuatro años, con el fin de crearse un caparazón para sentir menos el rechazo vivido. Esta herida le da a quien sufre una herramienta adicional para no sentir, después de haber utilizado, en principio, la huida. La máscara que desarrolla con la herida de la injusticia se llama el RÍGIDO.

La herida de injusticia también la despierta el padre del mismo sexo, aunque ambas heridas se despiertan muy a menudo a lo largo de un acontecimiento o con una misma persona.

Para saber qué herida está más afectada en tu caso, observa bien tu reacción. Si te rebelas enseguida y tienes una reacción violenta, ya sea verbal o mediante actos, es tu herida de injusticia la que se ha abierto en ese momento. Si, por el contrario, eliges huir, negar la situación o no hacer nada, es tu herida de rechazo la que está más afectada en ese momento.

Me viene a la mente un ejemplo de heridas activadas que recientemente me ocurrió en un aeropuerto. Después de haber recibido mi tarjeta de embarque, me dirigí hacia la barrera y me detuvieron en dos lugares para verificar mi tarjeta y mi pasaporte. Un poco más tarde, vi a otra empleada de la compañía aérea que estaba mirando el pasaporte de otra señora, y pasé al lado de ella diciéndome que ya no debería haber otro control. Apenas di unos pasos cuando la empleada de la compañía me llamó y me dijo:

—Señora, no puede pasar, tiene que enseñarme el pasaporte. Me parece que EXISTO, ¿NO?

De hecho, esta empleada presentaba todas las características de la herida del rechazo y de la injusticia en su cuerpo. Sentí hasta qué punto se rechazaba viviéndolo incluso con los extranjeros en su trabajo. A ella su función de controlar a cada persona que pasa le daba seguramente el sentido de existir. Por el contrario, estoy segura de que no era consciente de este hecho, convencida de estar haciendo bien su trabajo. Por supuesto, puede dar la impresión de tener un gran ego, de tomarse por otra persona, pero, en realidad, no es más que una persona entre tantas que sufren la falta de autoestima. Su comentario indica que su herida de injusticia se ha hecho cargo para hablarme en ese tono, simplemente a fin de esconder bien su herida de rechazo.

No te engañes. Aunque percibas que muchas veces experimentas la herida de la injusticia y llevas la máscara del *rígido*, esto no quiere decir que no te hayas sentido rechazado. El dolor del rechazo, simplemente, se ha enterrado, se ha ocultado detrás de tu caparazón de *rígido* que te hace actuar de otra manera. Por lo tanto, el sufrimiento se acumula cada vez más en ti.

> Cuando llegas a tu límite y te niegas a ser consciente es cuando puede que el cáncer decida aparecer.

Es como si desde tu nacimiento estuvieras tirando de una cuerda y esta terminase por romperse. En todas las personas que padecen cáncer con las que he trabajado, he visto que las heridas de rechazo y de injusticia estaban muy presentes. Por eso el mensaje en el cuerpo físico es tan importante. Como he indicado en el capítulo anterior, el cáncer no proviene del exterior, sino del interior de la persona. Por lo tanto, se activa, en primer lugar, por la herida de rechazo y, después, se desarrolla por la de injusticia, contribuyendo de esta manera a que una persona que ha alcanzado sus límites emocionales genere células descontroladas.

Cuando una persona lleva su máscara de *rígido*, es consciente de vivir la ira, lo que no es el caso del *huidizo*, pero se controla mucho, creyendo que no está bien expresarla. Solo alguien rígido puede llegar a controlarse de esta manera. Sin embargo, desde fuera es fácil percibirlo, ya que se endurece su cuerpo, su mandíbula y su cara. Por lo tanto, te percatas de que entre la negación del *huidizo* y el control del *rígido*, es fácil comprender que una persona termine por llegar al límite de su resistencia.

Te recuerdo que aunque la herida del rechazo no sea muy evidente, esta herida existe de forma clara, a pesar de que la persona la niegue tanto que se encuentra disimulada, enterrada bajo sus otras heridas.

También he mencionado anteriormente que es la herida del rechazo la que fomenta más odio en una persona. ¿Por qué? Porque la falta de autoestima le hace demasiado daño. Este sufrimiento viene del hecho de que lo que esta persona cree de sí misma es realmente lo contrario a lo que es en realidad.

> Vemos pues que el odio no es una indicación de maldad, sino más bien de una gran falta de autoestima que se refleja en los demás.

Es por esta razón por la que cada vez que me encuentro con alguien que tiene (o ha tenido) cáncer, sé de inmediato que es una persona que ha vivido un gran amor frustrado. Es el tipo de persona que quiere tanto vivir en el amor que cuando este amor se frustra, el dolor se vuelve intolerable. Odia a su padre del mismo sexo en el mismo grado que se odia a sí misma, ya que lo que ve en este padre es lo que cree ver en sí misma. Es imposible para una persona indiferente odiar algo o a alguien. Para odiar, se tiene que tener mucha sensibilidad.

Por otra parte, las personas que sufren estas dos heridas son las que a menudo pasan por seres «fríos». Son especialmente hábiles en esconder su gran sensibilidad, en enterrarla en lo más profundo de sí mismas, hasta el punto de que no saben cómo manejarla. Creen que el hecho de no sentir es una manera de sufrir menos; sin embargo, el sufrimiento es más fuerte todavía cuando se actúa de esta forma.

Es interesante ver la conexión entre el odio y el cáncer. Hay que saber que detrás del odio se esconde un gran sentimiento de impotencia. En la descripción del cáncer, se demuestra que el cuerpo se ha vuelto impotente para impedir que las células nocivas se multipliquen. Son estas mismas células las que se han hecho con el poder y se sienten todopoderosas. Reflejan el gran control que el odio ha tomado en la vida de la persona que sufre. Por lo tanto, esta recibe el mensaje de que ya es hora de que vuelva a contactar con su poder interior, avivando el amor hacia sí misma en lugar del odio.

En este punto, puede que te preguntes: ¿Lise Bourbeau está diciendo que todas las personas que odian se encuentran con el cáncer? La respuesta es no. El cáncer solo se desarrolla cuando este odio está oculto, cuando la persona no quiere o no puede ser consciente, cuando lo niega y vive todo su dolor de manera aislada. El que puede confesar que odia a su padre, a veces hasta el punto de querer matarlo, probablemente no tendrá cáncer, pero, por el contrario, podría enfrentarse a otro tipo de enfermedad.

La herida del rechazo nos hace negar completamente que hayamos podido odiar a nuestro padre del mismo sexo y la herida de la injusticia contribuye a su manera a impedirnos expresar este odio. Una de las creencias de la herida de la injusticia es la convicción de que esto no es justo, que no está bien odiar a nuestros padres. Que tendríamos que ser hijos agradecidos y perfectos. Esta creencia es aún más fuerte si consideramos que el padre está en situación difícil y sufre. En realidad, tu ego no está en condiciones de saber que si no te atreves a confesar que estás resentido con tus padres, te será imposible hacer las paces con ellos y darte cuenta de que están en tu vida para ayudarte a ser consciente de algo que no aceptas de ti mismo.

El *rígido* y el *huidizo* buscan constantemente la perfección, pero de una forma distinta. El rígido vive mucho más en las apariencias, en el *tener* y en el *hacer*, mientras que el huidizo está en el *ser*, como ya expliqué. El rígido se cree imperfecto si lucha contra la enfermedad y le resulta muy difícil confesarlo, aunque es consciente de ello. Si se atiende, lo hará a escondidas. Incluso se vanagloria de decir que no toma NUNCA medicamentos y que JAMÁS va al médico.

El huidizo, por su parte, niega que está enfermo y no va al médico ni habla de lo que está viviendo, pues teme molestar a los demás con sus problemas. De esta forma comprenderás por qué los huidizos y los rígidos no pueden sentir ni ocuparse de las numerosas pequeñas señales que les manda su cuerpo antes de recibir una señal más importante como el cáncer. Cuanto más consciente seas, más te amarás, y con más rapidez sentirás las señales que tu cuerpo te manda. RECUERDA QUE TU CUERPO ES TU MEJOR AMIGO.

Cuando el *rígido* se equivoca, dirá: «No he actuado bien, me he equivocado y lo tengo que hacer mejor la próxima vez». La diferencia con el *huidizo* es que este quiere ser perfecto. Si se equivoca, inmediatamente se dirá: «Soy un inútil», al tiempo que está convencido de que si otra persona le dice cómo actuar la próxima vez, no lo reprende únicamente por su comportamiento, sino por su forma de ser.

En el *huidizo*, toda crítica se vive en el nivel del ser y no del hacer, al no saber que lo que hace no tiene nada que ver con lo que es.

Esta es una de las razones que incitan al *huidizo* a desarrollar una energía nerviosa que le da una gran capacidad de trabajo. Él siente que cuanto más hace, más es. Cuanto más importante sea la herida del rechazo, más nerviosismo demostrará en sus gestos, en su manera de trabajar. Incluso a veces quiere correr en todos los sentidos.

Tengo que añadir que, aunque he mencionado el nombre de cinco heridas, no hay que darles una importancia excesiva. A menudo se utilizan palabras erróneas para expresar lo que vivimos. De hecho, te puedes sentir rechazado por alguien que no ha cumplido su promesa hacia ti y es tu herida de la traición la que se ha activado.

Por lo tanto, tu herida de rechazo se puede activar por una situación de rechazo, de injusticia, de traición, de humillación y de abandono. ¿Cómo saber la diferencia? Por tu reacción. Siguiendo el ejemplo de otra persona que no ha sabido cumplir su promesa, si tu reacción es la de decir: «No me sorprende, me lo esperaba. Tiene que encontrarme tan inútil que no vale la pena que cumpla su promesa», esto indica que es tu herida de rechazo la que se ha activado. La reacción de la herida de traición sería vivir la ira, acusar abiertamente a la otra persona o dejar de confiar en ella.

RESPONSABLE DE LOS DEMÁS

He podido comprobar que se han descubierto muchos casos de cáncer entre personas que se creen responsables de ocuparse de sus hermanos, incluso de sus padres. Así, es frecuente encontrar casos de cáncer entre los primogénitos.

De hecho, no es que el *huidizo* se crea responsable de la felicidad de los demás. Encontramos esta creencia en todas las heridas. La gran diferencia es la motivación y la intención.

La motivación del *huidizo* es la falta de amor a sí mismo, la falta de razones para vivir, la falta de tener un lugar en la vida y la falta de sentir que verdaderamente existe. Su intención es entonces la de cubrir esas faltas. Desgraciadamente, aunque haga mucho, tiene serias dificultades para escuchar y, sobre todo, para reconocer el agradecimiento de los demás. No deja de decirse que a pesar de todo lo que hace, sigue siendo un inútil.

> Es imposible sentir el amor que proviene de otra persona si uno no se quiere a sí mismo.

El *huidizo* puede incluso sentirse prisionero de los demás —a menudo de manera inconsciente— pero, en realidad, es prisionero de la creencia que mantiene de tener que ocuparse de los demás para ser *alguien*, para existir. Por otro lado, es triste darse cuenta de que solo da vueltas en círculo, ya que hace todo por los demás con el fin de existir, y el hecho de olvidarse de sí mismo le hace sentir que no existe.

Aunque se le diga que nadie es responsable de la felicidad de otra persona, que es una utopía creer que alguien pueda tener ese poder, el *huidizo* no escuchará a nadie o negará que se sienta responsable y afirmará que todo lo que hace es porque quiere, que es por amor y no por falta de amor.

Para concluir este capítulo, me gustaría añadir que el *huidizo* atrae el cáncer, para mostrarse que tiene que aprender a manejar su batalla contra sí mismo. Tras el anuncio de un cáncer, la primera reacción generalmente es la de querer luchar contra esta enfermedad. Es el reflejo de su batalla contra la imagen de la persona malvada e inútil que él ha creado en sí mismo, lo que trata de hacer desaparecer. Como no es más que una imagen y no la realidad, no puede ganar, ya que lucha contra algo que no existe.

El cáncer le trae el mensaje de que debe urgentemente tomar conciencia de su verdadera imagen y atreverse a admitir el conjunto de sus cualidades y defectos de una manera realista. A continuación, será preferible que se deje ayudar por personas que lo conozcan bien con el fin de verificar si su relación de cualidades y defectos es realista, ya que posiblemente su percepción anterior siga influenciándolo. ¿No es más agradable actuar de esta manera que tener que luchar constantemente?

La palabra «luchar» me hace pensar en dos individuos peleándose. Se empujan el uno al otro y terminan por perder su energía, pero continúan, sin embargo, con la misma situación, hasta que uno de los dos abandona por agotamiento. Por el contrario, si uno de ellos es lo bastante inteligente para dejar de empujar y seguir solo el movimiento del otro retrocediendo, el primer reflejo del otro será el de dejar de empujar. Una vez que la pelea ha terminado, tendrán mejores oportunidades de resolver su disputa. Queriendo tener razón a cualquier precio, debes saber que siempre es el ego el que desea luchar y nunca el corazón, ya que este es mucho más inteligente.

En el último capítulo, te daré otras sugerencias que te ayudarán a dirigirte hacia el amor, es decir, la aceptación incondicional de lo que eres, en lugar de la no aceptación.

Capítulo cuatro

¿POR QUÉ?

E ste capítulo se dividirá en tres, es decir, los tres *por qué* que más a menudo se escuchan. Estas preguntas son las que se plantean con más frecuencia quienes acaban de saber que tienen cáncer: ¿por qué yo?, ¿por qué ahora? y ¿por qué en esta parte del cuerpo?

En un primer momento, el diagnóstico sirve para ayudar a la persona a despertarse, a tomar conciencia de los daños que se provoca con sus pensamientos, sus creencias y sus emociones. Dado que muchas personas aplazan a menudo lo importante para más tarde, como si fuesen inmortales, el choque es aún más fuerte. Por lo tanto, en este sentido, es normal vivir momentos de pánico.

EMOCIONES Y SENTIMIENTOS

Dediquemos unos minutos para explicar mejor las emociones y los sentimientos, lo que sin duda te ayudará a comprender por qué al que sufre le resulta tan difícil ser consciente de lo que realmente está sintiendo. Me atrevo a esperar que esta explicación te ayudará a familiarizarte con las respuestas a las preguntas mencionadas.

El cáncer está presente en el cuerpo físico, pero como este es el reflejo de nuestros otros cuerpos, esto significa que ha tenido que empezar mucho antes, de manera inconsciente. ¿Por qué es tan difícil prevenirlo? Porque la mayoría de las personas no quieren sentir demasiado, creyendo que no podrán manejar el dolor. Sin embargo, no sintiendo les es imposible ser conscientes.

> La verdadera conciencia solo es posible cuando sentimos lo que ocurre en todos los niveles, en todos nuestros cuerpos.

Cuando hablo de todos nuestros cuerpos, me refiero no solamente a los cuerpos emocional y mental (dimensión material), sino también a los de naturaleza causal, búdica y crística (dimensión espiritual). La capacidad de sentir se da en tu cuerpo búdico y las sensaciones que sientes se manifiestan en tu cuerpo emocional.

La capacidad de sentir existe en todos los seres vivos. La diferencia entre los seres humanos y las otras dimensiones (animal, vegetal y mineral) es la conciencia. Todos tenemos la posibilidad de saber lo que sentimos y experimentamos, lo que es absolutamente necesario para estar en contacto con nuestra intuición. En los animales, se denomina instinto. Esto es lo que les ayuda a sobrevivir y a reproducirse.

También se ha podido observar que una flor dada y recibida con amor vivirá y permanecerá bella mucho más tiempo.

El lenguaje del sentimiento es extraordinario y se produce a una velocidad asombrosa. Pero por desgracia, estamos demasiado ocupados para escuchar a nuestro ser, lo que nos impide sentir. El mundo material ha tomado demasiado poder a lo largo de millones de años, desde que los seres humanos aparecieron sobre la Tierra. Nuestra dimensión material nos permite, por supuesto, vivir en este planeta, pero para vivir en armonía, esta tiene que estar al servicio de la dimensión espiritual.

Esta es la parte de nosotros que conoce todas nuestras necesidades, la que sabe exactamente lo que necesitamos para vivir en paz interior y amor, así como para cumplir nuestro plan de vida. Esto quiere decir que todo lo que sientes y experimentas te está indicando la dirección en la que te mueves. Cuando te sientes bien con una persona o en una situación determinada, sabes que estás escuchando tus necesidades. Cuando vives una situación desagradable, sabes enseguida que lo que te ocurre va en contra de tus necesidades. Por eso es tan importante estar alerta a todo lo que sientes y experimentas.

Como la herida del rechazo es la que más hace sufrir, es, por lo tanto, normal y humano que cada vez que se activa esta herida, te impidas sentir y te niegues el hecho de sufrir. Lo que más hace sufrir son las emociones. El sentimiento, tal como mencioné anteriormente, surge a pesar nuestro a una gran velocidad, y es inmediatamente transformado en emoción por tu actividad mental.

> Una emoción negativa es una actividad mental de acusación provocada por un miedo, la cual causa una alteración interior.

Tanto si eres consciente como si no, toda emoción negativa surge de una acusación, ya sea que tú acuses al otro de rechazarte y reacciones rechazándolo por no responder a tus expectativas, o bien que lo rechaces acusándolo de carecer de valor. Tras cada emoción negativa siempre hay un miedo, generalmente inconsciente. En realidad, lo que nuestra alma desea es sentir y experimentar, sin vivir emociones. Lo consigues cuando compruebas cómo te sientes y te autorizas a sentirte bien o no. Por lo tanto, un sentimiento puede tener un aspecto negativo o positivo, pero sin hacer daño, mientras que una emoción siempre es dañina para ti, ya que te empuja a actuar en el sentido contrario del amor verdadero.

Consideremos el siguiente ejemplo: te acabas de enterar de que ha habido una fiesta familiar y no has sido invitado. Lo vives como una puñalada y sufres a causa de tu herida de rechazo, que acaba de activarse. Casi inmediatamente, empiezas a rechazarte al creer que es culpa tuya, que eres tan nulo que es normal que los demás no quieran tu presencia. También eres incapaz de pensar que esto puede ser simplemente un descuido de la anfitriona. Te cierras, no dices nada y finges que no te molesta. El sentimiento de rechazo se ha vuelto una emoción de rechazo a causa de tu reacción influenciada por tu herida.

Para evitar que el sentimiento se convierta en una emoción, solo tienes que observar hasta qué punto te sientes rechazado por la otra persona, y esto te ayudará a tomar conciencia de hasta qué punto te rechazas a ti mismo. Sentirse rechazado no es ni bueno ni malo, es un sentimiento humano. Un día te querrás lo suficiente para no sentirte rechazado a la menor ocasión. Este es un excelente medio para vivir una experiencia de rechazo desde la aceptación y la serenidad. El dolor solo sería pasajero, al contrario de lo que ocurre con la emoción.

El día que aceptes que todo el mundo sin excepción vive altibajos, momentos agradables y desagradables, y que todas estas experiencias están ahí para que te conozcas y no para que te culpes, podrás empezar una nueva vida.

> Aceptar toda situación, aunque no estés de acuerdo o no entiendas por qué se manifiesta ahora, es un gran acto de amor hacia ti y hacia los demás.

Por lo tanto, el cáncer se activa cuando el cuerpo emocional ha llegado a su límite. Se produce un incidente que se convierte en la gota que colma el vaso, recordando las veces que anteriormente intentaste ocultar lo que sentías. Te dices: «Ya no puedo más, no soy capaz de seguir». En general, te sientes tan impotente que incluso llegas a pensar que tal vez sería preferible morir, en lugar de continuar viviendo con este tipo de dolor. No escuchas tus verdaderas necesidades.

«¿Cómo sé realmente lo que necesito?», me dirás. Siendo más consciente, es decir, preguntándote cada vez que no te sientas bien, cada vez que tengas un problema: «¿Qué me impide *ser* en este momento este problema?». Entonces podrás descubrir lo que quieres ser y podrás decidir las acciones que puedes tomar. Más adelante hablaremos de esto.

Muchos de nosotros tenemos dificultades para escuchar nuestras verdaderas necesidades debido a nuestro ego, que nos domina cada vez que se activa una herida. Pasamos gran parte del tiempo no siendo nosotros mismos y hemos llegado a creer que somos nuestros cuerpos mental, emocional y físico. Son estos los que han reemplazado a nuestro YO QUIERO y nuestro YO SOY.

Esta es la razón por la que vives tantas emociones. Dejas que tu ego decida, le permites decirte constantemente lo que es bueno y lo que es malo, lo que es aceptable o lo que no. Como la mayoría de las personas, no te das cuenta de hasta qué punto y con cuánta frecuencia la cabeza está al mando.

¿POR QUÉ YO?

Oigo con frecuencia a quienes acababan de saber que tienen cáncer pronunciar frases como:

- ¿Por qué yo? No fumo, tengo cuidado con lo que como, hago ejercicio físico de forma asidua. No lo entiendo, sobre todo porque veo a mi hermana, que hace todo lo contrario, y ni siquiera está enferma.
- ¿Por qué yo? Practico técnicas de desarrollo personal desde hace varios años. He aprendido a conocerme y me parece que he cambiado para mejor.

Estas personas tienen que darse cuenta de que no son su cuerpo físico ni sus cuerpos emocional y mental. Cuidar del cuerpo físico no es suficiente. A pesar de ello, aquellos que mantengan una buena forma física tendrán muchas más posibilidades de curar su cáncer, ya que, de esta manera, dispondrán de más fuerza y energía para ayudar a que su sistema inmunitario se recupere.

No es lo que comes o lo que físicamente haces lo que debilita tu sistema inmunitario. SON TUS MIEDOS.

Cualquier persona que haya investigado en sí misma y haya modificado algunas creencias nefastas sabrá que esto no es suficiente. Tiene que ir más allá, tiene que perdonarse y aceptarse tal y como es.

Esta aceptación es muy difícil, ya que va en contra de lo que nos dice constantemente el ego. Para conseguir aceptarnos tenemos que volver a contactar con nuestro poder interior. Durante los muchos años que llevo en la docencia, me he dado cuenta de que la aceptación y la responsabilidad son los dos elementos de la enseñanza de la escuela *Écoute Ton Corps* que más resistencia provocan. De jóvenes nunca se nos enseñó esto.

Me preguntarás: «¿Por qué yo, cuando sé que todo el mundo tiene miedos? ¿Por qué mis miedos han provocado el cáncer aunque otros tienen más miedo que yo?». La respuesta tiene que ver con el grado del odio vivido hacia el padre del mismo sexo y hacia ti mismo y, sobre todo, con el grado de negación de ese odio. Recuerda que para odiar es necesaria en uno mismo una gran dosis de amor, aunque es un amor inexpresado, dejándose la persona controlar por sus miedos a causa de lo que constantemente le dice el ego.

¿POR QUÉ AHORA?

El cáncer llega ahora, porque tu DIOS interior, conociendo las necesidades de tu alma, juzga que has llegado al límite. Que si no quieres aceptarte y quererte tal y como eres ahora, tendrás que morir para volver en otra vida, bajo una forma similar o diferente, y empezar de nuevo. Tu DIOS interior te da una OPORTUNIDAD para tomar conciencia de que ya es hora de que te dirijas hacia tu plan de vida, hacia la razón por la que estás en esta Tierra, en este entorno y en el seno de esta familia.

Has recibido innumerables mensajes a lo largo de tu vida, pero tenías demasiado miedo para escucharlos, para sentirlos. Actuando así elegiste negarlos, esperando, de esta manera, no sentir el dolor de no aceptarte a ti mismo. Creías sinceramente que te protegías para asegurar tu supervivencia. Pero acuérdate de que este tipo de creencia proviene de tu ego y no de tu corazón.

Te recuerdo que los primeros grandes dolores causados por el sentimiento de que eras rechazado por tu padre del mismo sexo empezaron a manifestarse desde el momento de la concepción. Desde entonces, has atraído varias situaciones y personas que han llegado para reactivar estos dolores. Es como si cada vez añadieses una gota más al vaso. Cuanto más se llena el vaso, más importantes son los dolores y más daño te hacen. Por lo tanto, necesitarás más fuerzas para no sentirlos, para negarlos.

Y ya está. Recientemente se ha producido un incidente en tu vida –por lo general entre dos y doce meses antes de la aparición del cáncer– que ha resultado ser la gota que ha colmado el vaso. La medicina afirma lo mismo, pero en otras palabras. Asegura, entre otras cosas, que las células cancerosas —mutantes— están ahí desde hace años, como la herida del rechazo que también está activada desde hace tiempo.

Por lo tanto, si acabas de saber que tienes cáncer, te sugiero como primera etapa que compruebes cuáles son los acontecimientos que se produjeron en tu vida, durante el año anterior, que te causaron estrés, dolor y emociones. Después, comprueba cuál de estas situaciones viviste con más dificultad, la que más te hizo sufrir. Al preguntarte lo que esta situación te impide SER en tu vida, descubrirás que hace mucho que te impides ser así por miedo a no ser querido. Aquí hay una razón para rechazarte que te hace sufrir mucho. Tu cuerpo te dice que has llegado al límite de tu resistencia, que has sufrido demasiado por esta expresión de rechazo hacia ti mismo.

Consideremos el ejemplo de un jefe que es muy severo con sus cuarenta empleados. Estos aguantan, hacen todo lo que pueden para realizar su trabajo al tiempo que maldicen interiormente el mal carácter de su jefe. Esto se puede comparar a las células que hacen todo lo que pueden por desempeñar su trabajo como deben, a pesar del código erróneo que reciben de su anfitrión. Un día, todos los empleados se reúnen y deciden rebelarse. Ya no quieren escuchar a su jefe y hacen lo que les viene en gana. Esto es lo que les ocurre a las células que deciden ocupar todo el espacio, han perdido el control y aquello es una anarquía. Son células que han llegado a los límites de su resistencia. No ha sido el último incidente vivido lo que las ha hecho rebelarse, sino la acumulación de muchos años de incidentes desagradables.

El anuncio de este cáncer ha sido un gran *shock* para ti, aunque sea inconscientemente. Muchas personas viven este *shock* como si el mundo se les cayera encima, como si cayesen al vacío. Este es el efecto del gran miedo a YA NO PODER EXISTIR. La parte tuya que sufre dice que tal vez sería mejor morir. Quizás pensaste: «¿Para qué continuar viviendo así?». Es posible que tu deseo de vivir haya perdido su sentido a causa de las expectativas no cumplidas. Desde muy joven tuviste que esforzarte para darte la impresión de existir, ya que esa parte tuya que sufre está convencida de que no tienes derecho a existir, de que eres una nulidad.

Algunas personas sienten un vacío tan grande dentro de sí mismas que eligen inconscientemente rellenarlo con un tumor. Esta es otra manera de negar lo que uno siente.

También se ha observado un fenómeno de sincronicidad en la aparición de los cánceres. Por ejemplo, si tuviste un *shock* en el momento del fallecimiento de un familiar, y entonces tenías dieciocho años, posiblemente podrá aparecer un cáncer dieciocho años más tarde o cuando tu hijo tenga esa edad. A continuación te muestro algunos ejemplos que he conocido. También se puede llamar a esta sincronicidad *ciclos biológicos memorizados*.

A un hombre, cuyo padre murió a los cuarenta y un años —cuando él tenía 14—, se le diagnosticó un cáncer cuando su hijo tenía catorce años. Un amigo psicólogo le señaló la relación entre la edad de su hijo y lo que le había ocurrido a los catorce años. Tras la muerte de su padre, tuvo que convertirse en el hombre de la casa, al ser el mayor de los cuatro hermanos; además tuvo que dejar los estudios para ponerse a trabajar. De naturaleza muy responsable, se convirtió en un gran empresario. Como no había tenido tiempo para sentir el dolor por la marcha de su padre, tuvo que hacer este trabajo de aceptación, ya que le reprochaba haberlo dejado cuando más lo necesitaba. Nunca había sido consciente de este gran rencor hacia su padre antes del anuncio del cáncer. También le reprochaba no haber sido el modelo de padre que él hubiera deseado. Afortunadamente, se curó.

El doctor Geerd Hamer, que realizó un importante estudio sobre el cáncer, explicaba este tipo de situación como un conflicto que dura desde hace muchos años, creando un gran miedo al ver repetirse lo mismo más tarde. Este miedo es aún más nefasto porque, por lo general, la persona no es consciente. Si a veces empieza a sentir el miedo, se apresura a reprimir este sentimiento, a negarlo, a no hablar de ello y, por lo tanto, lo vive aisladamente. Todo esto termina por corroerle por dentro.

El doctor Hamer se dio cuenta de que el cáncer aparecía a menudo después de que el conflicto se hubiese superado, se hubiese resuelto. Es como si la persona dijera: «Menos mal, aquello que temía no se ha producido. Por fin, este problema está resuelto; puedo relajarme».

El siguiente ejemplo es una señora que muestra también este tipo de proceso. Tuvo un cáncer de mama que parecía haberse resuelto, aunque posteriormente se propagó al cerebro. Personalmente tuve la oportunidad de pasar un buen rato con ella en el hospital. Cuando le pregunté cómo se sentía ante la idea de tal vez morir y también qué le daba más miedo, me respondió:

—Mi mayor miedo es la idea de dejar a mi hija. ¿Qué le pasará?

Su única hija tenía veintidós años, es decir, la misma edad que tenía ella cuando su propia madre falleció.

Su cáncer se manifestó poco después del veintidós cumpleaños de su hija. Es como si desde que nació su hija ella temiera que la chica viviera el mismo dolor que ella había experimentado, no aceptando la muerte de su madre.

Además, me confió que nunca pudo aceptar que su madre falleciera, ya que ambas estaban muy unidas, pero, al mismo tiempo, a menudo en conflicto.

—Entonces –le dije–, si fueras a morir de este cáncer, ¿querría decir esto que no quieres a tu hija?

Con los ojos fijos ante ella, la mujer no me respondió inmediatamente. Entonces continué:

—Lo mismo ocurrió con tu madre. Cuando falleció, fue la elección de su alma, y no porque no te quisiera y te rechazara.

Ante esas palabras, su mirada se iluminó y apareció una gran sonrisa, como si viese algo maravilloso en la pared frente a ella. Supe que acababa de producirse un acontecimiento importante en ella. Sus ojos mostraron mucho amor. Todo el rencor hacia su madre por haberla abandonado había desaparecido y ella a su vez, se permitía dejar ahora a su hija. Murió algunos meses más tarde en su casa, pues ese tipo de cáncer de cerebro era intratable e inoperable.

Todo este proceso se produce de manera inconsciente. En última instancia, será el cáncer el que ayudará a la persona que sufre a tomar conciencia. Es como si su sistema, continuamente en estado de estrés y de control para evitar sentir el miedo y el dolor, hubiese decidido relajarse hasta el punto de perder el control. Así, va de un extremo al otro.

El siguiente ejemplo lo contó un día el doctor Hamer. Un hombre jubilado vivía en un apartamento desde hacía muchos años, cuando el propietario fue a anunciarle que tendría que dejarlo en tres meses, ya que había decidido alquilárselo a su hijo. Este anuncio puso al hombre fuera de sí, pues se había acostumbrado a ese barrio, se sentía seguro, al haber organizado la vida que quería. Sin ninguna familia o amigo cercano que pudiera ayudarle, se convenció de que nunca conseguiría rehacer su vida en otra parte. Temiendo no ser capaz de encontrar otro apartamento, el hombre vivía cada vez con más estrés y, además, no tenía a nadie con quien hablar.

La semana antes de su desalojo, el propietario fue a buscar al hombre otra vez para decirle que ya no era necesario que se marchara, pues finalmente su hijo había cambiado de idea. «MENOS MAL —se dijo el anciano muy feliz—, por fin se ha solucionado. Podré seguir llevando la vida que quiero». Dos meses más tarde, cada vez le dolía más el estómago. Su médico le anunció que se le había desarrollado un cáncer en ese lugar. Al mismo tiempo, un vecino le aconsejó que fuese a ver al doctor Hamer quien, según él, había descubierto un nuevo enfoque sobre el cáncer.

En este enfoque, ocurre con frecuencia que la persona se cura del cáncer en el momento en el que entiende que es su cuerpo el que, en realidad, quiere curarse de todo el estrés acumulado en relación con el problema vivido. Por el contrario, he comprobado que este tipo de resolución de conflicto es incompleto en sí. El verdadero conflicto está en el interior de uno mismo y no en el exterior. Esto me hace entender por qué el cáncer reaparece en el mismo lugar del cuerpo o en otra parte. Resumiendo, el conflicto no se ha resuelto por el amor y la aceptación de uno mismo, sino más bien por una persona externa. La solución es ilusoria.

> Para solucionar nuestros conflictos no debemos esperar ayuda del exterior. Más bien, tenemos que colmar nuestras expectativas y nuestras carencias por nosotros mismos.

Volviendo al ejemplo del anciano que estaba a punto de ser desalojado por su casero, es seguro que se haya sentido muy rechazado. Sin embargo, no es este rechazo el que realmente provocó el cáncer, sino que de forma clara y evidente la situación despertó en este hombre todas las experiencias de rechazo vividas desde su infancia. Esta última con el propietario del apartamento fue, sencillamente, demasiado. Por lo tanto, la verdadera cura solo es posible cuando realmente nos perdonemos, tema que abordaré en profundidad en otro capítulo.

EL MIEDO Y SUS EFECTOS

Cuando me enteré de que la adrenalina ayudaba a producir inflamación, lo que, de hecho, estimula las células nocivas a multiplicarse, enseguida hice la conexión entre el miedo y el cáncer. Esta es otra respuesta a ¿por qué ahora?

Efectos del miedo sobre el cuerpo	Utilidad
Elevación de los niveles de adrenalina.	Un excedente de energía para hacer frente al peligro.
Aceleración del ritmo cardiaco.	1. La circulación de la sangre se acelera, lo que aumenta el suministro de oxígeno hacia los tejidos, al tiempo que libera los residuos del organismo. 2. La sangre también se desvía de las partes del cuerpo donde su presencia es menos vital hacia los músculos grandes como los de los muslos y los bíceps, lo que ayuda al cuerpo a prepararse para la acción.
Intensificación de la respiración.	Los tejidos necesitan un suministro de oxígeno suplementario para estar en condiciones de actuar.
Aumento de la transpiración.	Hacer la piel más resbaladiza, más inalcanzable para un enemigo, y enfriar el cuerpo para frenar cualquier elevación anormal de la temperatura corporal.
Otros efectos fisiológicos: 1. Dilatación de las pupilas 2. Disminución de la salivación 3. Sistema digestivo ralentizado 4. Contracción muscular	1. Dejar entrar más luz. 2-3. La energía se reserva para hacer frente a un potencial peligro. 4. Preparar el cuerpo para hacer frente o huir de una situación en particular.

Cuando se percibe o se anticipa un peligro cualquiera, el cerebro envía un mensaje a una parte de nuestro sistema nervioso, conocido como *sistema nervioso autónomo*. Este se subdivide en dos ramificaciones: el *sistema nervioso simpático* y el *sistema nervioso parasimpático*. Estos dos componentes del sistema nervioso autónomo están directamente implicados en el control del nivel de energía del cuerpo y en la preparación para la acción. Para simplificar, digamos que el sistema nervioso simpático es el sistema relacionado con «hacer frente o huir» el cual libera energía para poner el cuerpo en condiciones de actuar, mientras que el sistema nervioso parasimpático ayuda a restablecer el cuerpo a su estado normal.

La tabla anterior muestra, entre otras cosas, lo que nuestro sistema nervioso simpático pone en marcha tan pronto como se presenta un peligro para ayudarnos a huir o a atacar, mucho antes de que nuestra conciencia se percate. Así vemos hasta qué punto es inteligente la creación de la especie animal y humana. Ten en cuenta que este fenómeno automático lleva produciéndose desde el principio de los tiempos.

Esto es lo que sienten las personas que, durante parte de sus vidas, viven un miedo visceral. Los miedos a los que me refería en los ejemplos anteriores no son un miedo real, es decir, no existe la presencia de un peligro inminente. El miedo irreal es completamente imaginario, pero el cuerpo no es capaz de diferenciar entre un miedo real y uno irreal, por lo que pone a todo el sistema en marcha a fin de hacer frente al peligro presentido.

Ahora entiendes por qué las personas que viven muchos miedos parecen a menudo cansadas. De hecho, piden demasiados esfuerzos a su sistema. Cuando alguien se encuentra más a menudo en estado de miedo que en estado de serenidad, produce mucha más adrenalina y, además, sobrecarga su sistema inmunitario. Investigaciones científicas han demostrado que el sistema inmunitario es mucho más fuerte en una persona serena, en paz. Los orientales saben esto desde hace mucho y la búsqueda de la paz interior y del equilibrio es la base de su medicina.

Al mismo tiempo, me maravillo constantemente al comprobar hasta qué punto puede ser sólido el cuerpo. Antes de que se declare el cáncer u otra enfermedad importante, el cuerpo ha aguantado el tipo durante muchos años, antes de que las células pierdan el control y ya no puedan desempeñar sus funciones correctamente.

Por lo tanto, podemos concluir que cuando el cáncer aparece pronto, ello indica que la persona tiene miedos muy fuertes y que, de esta manera, exige más trabajo a todos sus sistemas, los cuales terminan por debilitarse. Además, puede que estos mismos miedos se hayan vivido desde hace más de una vida. De hecho, tan pronto como un sistema se pone en marcha, afecta directamente al resto del cuerpo. Este es tan inteligente que conoce el límite de la persona y da instrucciones al sistema nervioso parasimpático para que tome el relevo. Cuando el sistema nervioso parasimpático, que como he señalado tiene como función restablecer el cuerpo a su estado normal, se ha utilizado en exceso, llega a estar demasiado cansado, entonces la persona se mantiene en estado estrés y de miedo más tiempo de lo normal.

Pero, al igual que con el cáncer, podemos afirmar que la persona que tiene cada vez más miedo, al no ser lo suficientemente consciente de lo que le ocurre, va más allá de sus límites, al igual que las células nocivas continúan reproduciéndose más allá de su territorio, superando ellas también sus límites.

¿POR QUÉ ESTA PARTE DEL CUERPO?

El sitio del cuerpo donde se desarrolla la enfermedad representa la zona afectada. La descripción de la enfermedad nos indica lo que vive la persona en la situación que está experimentando. Doy los detalles de la conexión entre cada parte del cuerpo y la zona afectada en mi libro *Obedece a tu cuerpo: ¡ámate!* en el que hablo de casi seiscientos significados de diferentes dolencias y enfermedades.

Cuando tu cuerpo te habla por mediación de un cáncer —o por cualquier otra dolencia o enfermedad—, lo hace para ayudarte a ser consciente de que te aferras a una manera de pensar que no es beneficiosa para ti, una manera de pensar que te impide quererte, aceptarte tal como eres y que, aunque inconscientemente, perjudica a todo tu ser, en la misma medida en que afecta a tu cuerpo físico. Cuando aparece la enfermedad, tu DIOS interior te dice que ya es hora de cambiar esta manera de pensar o esta creencia que no es beneficiosa. Sobre todo, te indica que has alcanzado tus límites físicos, emocionales y mentales.

Es como esa lucecita roja que se enciende en el coche para advertirte de que hay un problema en alguna parte. No es la lucecita lo que hay que quitar, sino que hay que encontrar lo que ocasiona el problema. De lo contrario, te vas a encontrar con un problema mucho más serio. Esto es lo que la mayoría de nosotros queremos hacer al *deshacernos* de nuestros malestares y nuestras enfermedades a cualquier precio.

> Esta luz solo quiere atraer tu atención sobre algo de lo que de otro modo no serías consciente.

En realidad, cada malestar físico ayuda a descubrir tres cuestiones importantes para ti:

- Una **necesidad** inconsciente de tu ser.
- Una manera de pensar (o **creencia**) que te impide manifestar esta necesidad, así como el **miedo** que ha desencadenado y mantiene esta creencia.
- La urgencia de **aceptar este miedo** con el fin de empezar la curación.

Es importante que recuerdes que la decodificación de una enfermedad es muy personal, que no es algo fijo para todo el mundo. Por ejemplo, un cáncer de mama no tiene el mismo significado para todas las personas que están luchando contra esta enfermedad. Por el contrario, cada parte del cuerpo representa la misma zona en general. Uno solamente se tiene que preguntar para qué sirve esta parte del cuerpo y descubrir la zona afectada.

El tercer mensaje (aceptar este miedo) muestra sin contradicciones lo más importante. Durante mucho tiempo no capté del todo el mensaje metafísico que explicaba la causa psicológica de la enfermedad. Sin embargo, durante los últimos quince años, he entendido que el aspecto metafísico no es suficiente. Por lo tanto, me he dirigido más hacia el aspecto espiritual, lo que significa que cada dolencia o enfermedad tiene como mensaje principal **querernos tal como somos**. Al quererte de esta manera, te vuelves consciente del ser espiritual que eres y de tu gran poder interior. La primera causa de todos los problemas que vivimos cada uno de nosotros es esta falta de amor. Por eso insisto en la importancia de aceptar tus miedos, pues ello demuestra que te amas y que te aceptas incluso con tus debilidades.

En resumen, una vez que descubrimos las creencias que nos han controlado e impedido manifestar nuestras necesidades es posible aceptarnos, es decir, darte el derecho de haber creído estas ideas a causa de tu miedo a sufrir o a despertar una de tus heridas, lo que finalmente es el punto de inflexión de la enfermedad.

Desgraciadamente, muchas personas tienen dificultad para superar esta etapa de aceptación, ya que el ego es demasiado fuerte y hace todo lo posible para que no te aceptes, pues sabe muy bien que el hecho de no darle este poder le va a causar una falta de alimentos y, de esta manera, va a debilitarse. De hecho, teme enormemente desaparecer y es por esto por lo que resiste tanto. Además, está convencido de tener siempre razón y de que si vas en otra dirección y dejas de escucharle, sufrirás más. Volveré sobre esto en el último capítulo con medios concretos sobre la forma de dialogar y tranquilizar a tu ego.

El siguiente es un extracto del libro *Obedece a tu cuerpo: ¡ámate!* He elegido el de MAMA al ser el cáncer más extendido en la mujer en la mayoría de los países:

CAUSAS EMOCIONALES *(deseos bloqueados)*

Los pechos tienen una conexión directa con nuestra forma de tratar maternalmente, ya sea a nuestros niños, nuestra familia, nuestro cónyuge o al mundo en general. Tener un problema en un pecho, tanto para el hombre como para la mujer, está relacionado con una inseguridad vivida de cara a alimentar o proteger a los que se trata de forma maternal. Tratar maternalmente significa seguir tratando al otro como si aún fuera un niño dependiente de su madre.

Además, los pechos representan el don de una misma, tanto en nuestra vida personal como en la profesional.

Para una mujer diestra, el pecho derecho tiene una conexión con su feminidad, con su cónyuge. Su pecho izquierdo tiene más conexión con su forma de tratar maternalmente a todos a los que ama. Para una zurda, es al contrario.

Si tienes un problema en un pecho, puede ser que te afecten alguna o varias de las siguientes causas emocionales:

- *Te obligas a parecer maternal para ser una buena madre.*
- *Te preocupas demasiado por los que amas, en detrimento de tus propias necesidades.*
- *Inconscientemente les reprochas que ya no tienes tiempo para ti misma a causa de sus numerosas peticiones.*
- *Eres muy dirigente y controladora en tu manera de tratar maternalmente.*
- *Tratas de forma maternal hasta el punto de ser demasiado prudente.*

- *Si eres una mujer y tu problema en los pechos es de orden estrictamente estético, el mensaje es que te preocupas demasiado por tu imagen. Los pechos que tienes —ya sean demasiado pequeños o demasiado grandes— no tienen nada que ver con la persona formidable que eres. Tu cuerpo te dice que no eres tus pechos.*

Si se trata del pecho relativo a tu feminidad, acuérdate de que es solamente tu herida de rechazo la que te provoca miedo a no ser lo bastante femenina para el hombre al que amas.

CAUSAS MENTALES *(miedos y creencias)*

Cuando vives un problema relacionado con tu forma de ser madre o de tratar maternalmente, el objetivo del mensaje es que inicies un proceso de perdón con tu propia madre o con la persona que desempeñó esta función cuando eras joven. Si tu forma de tratar maternalmente te causa un problema, es fácil concluir que la forma de tratar maternalmente de tu madre seguramente te ha causó un problema.

En lugar de esforzarte o de quejarte de lo que vives, debes darte cuenta de que no estás aquí para proteger y alimentar bien a todos a los que amas. Si te piden ayuda y eres capaz de dársela sin ir más allá de tus límites, es decir, respetándote a ti misma, no dudes en tratarlos de forma maternal, pero hazlo con amor, alegría y placer. Si no puedes o no quieres ayudar, reconócelo y concédete el derecho de no poder hacerlo por el momento.

Tus límites actuales no serán necesariamente los mismos toda tu vida. Tu sentido del deber es demasiado grande, te preocupas en exceso. Tienes que aprender a dejar marchar a aquellos que amas. Cuando se independizan no te los arrancan del pecho. Puedes tener amor maternal sin que te sientas obligada a actuar de forma maternal constantemente.

Si te rechazas al creer que el menor problema de pareja es una indicación de falta de feminidad por tu parte, y que no eres lo suficientemente guapa para él, es hora de que hagas una puesta a punto con tu cónyuge sobre tu feminidad. Descubrirás que él no tiene la misma visión que tú.

NECESIDAD Y MENSAJE ESPIRITUAL

Tu gran necesidad es AMARTE, aceptar tus miedos del momento. Tómate el tiempo necesario para encontrar lo que TEMES en esta situación. Tu Dios interior te invita a acoger este miedo que te empuja a actuar de esta manera, recordándote que todo es temporal. Te dice que aceptes tus límites actuales y que reconozcas tu propio valor. Solo después de haber aceptado tus miedos y tus límites podrás dirigirte hacia lo que quieres realmente. Acuérdate de que esta parte de ti que tiene miedo está convencida de que te protege. Si te sientes capaz de asumir las consecuencias de vivir según las necesidades de tu ser, tranquiliza a esta parte diciéndole que te sientes capaz de asumir todas las posibles consecuencias.

Como sin duda te habrás dado cuenta en la descripción metafísica del problema en los pechos, he anotado varias posibilidades. Deberás comprobar y recordar lo que se aplique a tu caso particular.

Si es un hombre el que tiene cáncer de mama, además, deberá hacer una conexión con el rechazo que ha vivido contra su padre, sobre su manera de tratarle de forma maternal. Puede ser un hombre muy maternal, lo que le recuerda hasta qué punto ha odiado a su padre en este papel, y su deseo de que lo hubiese desempeñado su madre. Por supuesto, puede ser al contrario, es decir, ser lo opuesto al padre habiendo siempre deseado que este fuese más maternal con él.

El medio por excelencia para descubrir con más precisión los tres mensajes que toda enfermedad te trae es plantearte las siguientes preguntas:

- Para descubrir tanto tus necesidades como tus deseos: «¿Qué es lo que este cáncer me impide tener y hacer (deseos) y, sobre todo, SER (necesidad de tu alma)?».
- Para descubrir tanto la creencia o creencias, así como el miedo: «Si por fin tuviese el coraje de dirigirme hacia lo que realmente quiero, ¿qué cosa desagradable podría ocurrirme? ¿De qué tengo realmente miedo? Si el objeto de mi miedo se produjese, ¿cuáles serían mis peores temores? ¿El miedo de ser juzgado por SER qué? ¿O el miedo de juzgarme de SER qué?».
- Por el momento, solo tienes que aceptar este miedo, aunque te impida ir hacia lo que quieres. Al autorizarte a ser lo que eres en el momento presente, sin

juzgarte o criticarte, te será más rápido y más fácil alcanzar progresivamente tus objetivos. Leyendo el último capítulo comprenderás mejor por qué el hecho de aceptar una parte negativa de ti mismo te lleva hacia lo que quieres.

Es muy posible que en el segundo mensaje, la primera respuesta que te venga sea un miedo por una persona querida. Te recuerdo que, en realidad, el verdadero miedo lo sientes por ti. Cuando este sea el caso, tienes que plantearte otra pregunta: «Si aquello que temo por la otra persona se manifestara, ¿de qué tendría miedo por mí?».

Para profundizar rápidamente en *por qué esta parte del cuerpo*, pregúntate cuál es la utilidad de esta en tu vida. También te puedes informar en mi libro, que da una explicación metafísica acompañada de una solución espiritual para la gran mayoría de las enfermedades conocidas.

En el siguiente capítulo, recibirás explicaciones más precisas sobre *cómo empieza el cáncer*, basadas en hechos reales.

Capítulo cinco

HECHOS REALES REVELADORES

Durante los últimos treinta y tantos años, en el contexto de *Écoute Ton Corps*, he conocido a miles de personas que padecían cáncer, además de numerosos casos relacionados con mi vida personal. Nunca hice un taller sin que hubiese una o más personas que sufrieran cáncer en ese momento, o que lo hubieran sufrido en el pasado. Lo que aún me sorprende es que hasta ese momento ninguna de esas personas parecía haber sido consciente de la conexión entre su herida del rechazo y el cáncer.

Tuve una entrevista personal con varias de ellas, algunas participantes en los talleres de *Écoute Ton Corps* y otras no. Quienes estuvieron dispuestos a responder a mis preguntas se sorprendieron al establecer la conexión con la herida del rechazo. Todos estuvieron de acuerdo en que utilizase una parte de su historia en este libro y aquí están algunos casos. Los nombres empleados son ficticios.

JULIE Y EL CÁNCER DE TIROIDES

Julie era la mayor de una familia de tres hermanos, cuya madre era muy autoritaria. Decidió ser obediente el día en que su madre le anunció que su padre iba a morir y que, siendo la mayor, tendría que apoyarla y no decir nada a su hermano y a su hermana pequeños. Julie sabía que no tenía la obligación de ocuparse de ellos, pero fue, sin embargo, incapaz de decírselo a su madre. En aquel momento, no se dio cuenta de que fue su gran miedo de ser rechazada por su madre el que le hizo someterse de esa manera. A pesar de su corta edad –dieciséis años–, tuvo que demostrar una gran madurez y ocuparse de sus hermanos para no ser reprendida por su madre. Consciente del comportamiento injusto de la madre, decidió, a pesar de todo, guardarse para ella sus sentimientos.

Julie no tenía derecho a hablar. Cuando intentaba decir algo, su madre le ordenaba que se callara y se fuera a su habitación. No se atrevía a hacer ninguna petición, ya que su madre nunca salía del *no*. Para evitar que le dijera que *no*, prefirió no darle la oportunidad. Le reprochaba a su madre que fuese tan autoritaria y exigente. Además, se avergonzaba de dejarse controlar de esa manera y creía que no tenía derecho a existir para sí misma, al igual que creyó siempre que no tenía ningún valor. De hecho, Julie terminó por creer que ni ella ni su finalidad en la vida tenían ningún interés.

Cuando se hizo mayor, repitió el mismo escenario, hasta el momento en que le diagnosticaron el cáncer. Siendo enfermera, tuvo muchos problemas con una compañera de trabajo. Algunos meses antes de la aparición del cáncer, recibió una herencia de su abuela, que acababa de fallecer. Entonces, quiso dejar de trabajar para ocuparse de sus tres hijos.

Al anunciarle la herencia, su marido le dijo que él también quería dejar su empleo a fin de realizar el sueño de trabajar por cuenta propia gracias a aquella suma de dinero. Con serios problemas de comunicación y sin darse permiso para escuchar sus necesidades, Julie continuó trabajando según la petición del marido, dado que era lo que él prefería. En este caso, se observa claramente el miedo a molestar que Julie siente cuando se trata de hablar de sus propias necesidades, pero también la creencia de tener muy poco valor.

Finalmente, Julie dejó su trabajo a los cuarenta años, cuando se le anunció que tenía un cáncer en la glándula tiroides. Esta glándula está conectada al chakra de la garganta (un importante centro de energía) y representa la energía que necesitamos para afirmar o expresar nuestra voluntad, es decir, nuestra capacidad de poder tomar decisiones con el fin de manifestar nuestras verdaderas necesidades y, por lo tanto, crear nuestra vida basándonos en ellas. En resumen, es la energía de la expresión de nuestra creatividad.

Más tarde, Julie confesó que su padre había muerto de cáncer a los cuarenta años, y que a menudo tenía miedo de sufrir también esta misma enfermedad a la misma edad que él. Por una parte, se decía que vencería la enfermedad. Por otra parte, y aunque la incitó a dejar de trabajar, el cáncer le impidió ser ella misma, ser autónoma, ser libre de decidir lo que fuese, ya que tuvo que operarse y seguir varios tratamientos, incluyendo uno con yodo radioactivo y quimioterapia.

De manera más explícita, Julie recibió el mensaje de prestar atención a las necesidades de su alma, pero también de ser ella misma, de actuar de manera autónoma y de tomar sus propias decisiones ocupando su lugar, expresando sus necesidades.

Para superar estas etapas, tuvo que demostrar compasión hacia sí misma por no haber sido capaz de satisfacer su necesidad durante buena parte de su vida, al haber tenido demasiado miedo de su madre autoritaria y miedo de no ser querida si decidía anteponer sus necesidades a las de los demás. No queriendo ser como su madre, se fue al otro extremo, al no expresar firmemente sus necesidades.

Julie llegó al límite de su sufrimiento en el momento en que quiso dejar de trabajar, pero sin haber sido capaz de expresárselo a su marido. Por consiguiente, todo se rompió en su interior y su cuerpo le mostró que ya era hora de que se tomara un descanso, que por fin se diera cuenta de que se pedía demasiado y de que había superado sobradamente sus límites.

Actualmente, a sus cincuenta y nueve años, Julie está muy contenta de haber trabajado consigo misma, así como de ser capaz de quererse más y de estar atenta a sus necesidades. Ahora sabe que ya no necesita negarlas para satisfacer a los demás con el fin de sentirse querida.

NICOLE Y EL CÁNCER DE ENDOMETRIO

El endometrio es el revestimiento interno del útero. Su función principal es la de recibir el óvulo fecundado hasta el séptimo día después de la fecundación. Si no hay fecundación, el endometrio es el que provoca las menstruaciones. Como el útero es el primer hogar del feto, también se le llama el nido. Un cáncer en este lugar tiene, por tanto, una conexión con el miedo, con nuestra impotencia para ocuparnos del nido del que nos sentimos responsables. Este cáncer se manifiesta a menudo en las abuelas que desearían que todo ocurriera como ellas quieren para sus nietos. Es como si fuese su propio nido.

En el caso de Nicole, el niño del que se preocupaba era en realidad una asociación de la que se hacía cargo desde hacía casi veinte años. Madre de tres hijos, siempre consideró esa asociación como su bebé. Se veía como la madre de todos los miembros y solo quería su bienestar. Todo iba muy bien, hasta el día en que una persona nueva entró en la junta directiva y quiso cambiarlo todo. Progresivamente, las cosas empezaron a deteriorarse a medida que muchas actividades, en particular aquellas en las que estaban interesados los miembros, se suprimieron. Sin duda, el incidente clave fue la supresión de la última animación mensual organizada por estos miembros, que era muy popular entre ellos. La dirección había decidido mantener solo las reuniones de té con bailes que, pocos meses antes de la aparición del cáncer, interesaban sobre todo a los no participantes.

Nicole cada vez estaba más en contra de la persona que hacía todo lo posible para contradecir lo que ella proponía. Por su parte, los demás miembros de la directiva, menos motivados, no se atrevían a interferir o a decidir lo contrario. A los ojos de Nicole, su bebé estaba deteriorándose y muriendo poco a poco.

En general, la situación que vivía con esa persona le hacía revivir lo que había vivido siendo más joven con su madre, que era muy severa y categórica, incluso a veces violenta. Siendo la segunda de una familia de cinco hijos, Nicole compartía habitación con su hermana, tres años más pequeña pero quien, a su manera, también le hacía vivir muchas injusticias y rechazos. Por ejemplo, mentía a su madre y era Nicole la que cargaba con las culpas por sus acciones. En conflicto perpetuo con su madre y su hermana, Nicole, no obstante, se lo guardaba todo en su interior y vivía su dolor de forma aislada, con la esperanza de así mantener la paz en la familia.

En la actualidad estaba viviendo el mismo sentimiento de injusticia. Tenía miedo de que la acusaran de no haber sido capaz de mantener la asociación como un nido y se sentía responsable. Se sentía también injustamente castigada por la nueva directiva, al igual que anteriormente hizo su madre. Su intención había sido la de crear un lugar cálido para los miembros. En lo más profundo, se rechazaba, ya que se acusaba de no haber podido cambiar la situación por falta de afirmación por su parte.

Este es otro ejemplo de una persona que ha llegado a sus límites y que tiene que ocupar su lugar, lo que decidió a consecuencia del cáncer.

En la actualidad, con cincuenta y cinco años y después de haberse sometido a una operación hace dos, Nicole se siente curada. Ahora sabe que es la reconciliación con su madre y su hermana, así como la etapa del perdón hacia sí misma, lo que será absolutamente indispensable para revertir de manera definitiva las consecuencias de su enfermedad.

Al realizar el perdón con el padre del mismo sexo, también lo hacemos inconscientemente con todas las demás personas que nos han hecho vivir el mismo tipo de dolor.

JEAN Y EL CÁNCER DE PRÓSTATA

Jean es un hombre que proviene de una familia modesta y que trabajando mucho consiguió establecer una empresa que proporcionaba materiales de construcción a contratistas.

Particularmente orgulloso de sí mismo, había superado a su padre, que nunca había sido muy emprendedor.

Debido a la recesión económica que se produjo a finales de los años noventa, este sector se vio muy afectado y muchos empresarios que le debían a Jean importantes sumas de dinero tuvieron que declararse en quiebra. Tras haberle notificado un día el banco que ya no podía disponer de una línea de crédito suplementaria y ante grandes dificultades económicas, Jean se vio obligado a entregar su empresa a la entidad financiera.

Poco tiempo después, a la edad de setenta y ocho años, se le diagnosticó un cáncer de próstata. Este órgano representa la paternidad, al igual que se asocia el útero a la maternidad. Ambos producen el esperma y el óvulo para que la mujer sea capaz de procrear. Por otra parte, también en el diccionario se dice que la próstata deriva de una palabra griega que significa «colocarse delante para proteger».

Cuando un hombre se ve envuelto en una situación en la que ya no se siente tan poderoso como antes para proteger a sus hijos —y en particular a un hijo— y se rechaza a sí mismo, está preparándolo todo para la aparición de un cáncer de próstata.

En el caso de Jean, durante el periodo en el que se encontraba en una situación financiera precaria, se sintió muy decepcionado con sus dos hijos que, en su opinión, no conseguían avanzar en la vida, como él lo había conseguido a su edad. Cuando nos reunimos para hablar de las causas del cáncer de próstata, Jean apenas fue capaz de confesar su impotencia frente a sus hijos y para salvar su empresa. Rechazándose en gran medida, hizo todo lo posible por no sentir lo que ocurría en aquel momento a su alrededor. Por otra parte, al haber demostrado siempre mucha fuerza y determinación, vivía esto con un enorme sentimiento de fracaso.

Sin embargo, delante de todos aceptaba estar muy contento con el giro de los acontecimientos, afirmaba que esa situación por fin le había incitado a tomarse una jubilación bien merecida y que no tendría ningún problema para vivir bien a pesar de la pérdida financiera sufrida. En realidad, Jean no quería bajo ningún concepto que sus familiares sospecharan lo que vivía o sentía. Otro buen ejemplo de negación de muchas personas que se enfrentan a la herida del rechazo. Tuve que rendirme ante la evidencia de que no pudiendo sentir lo que sentía realmente, Jean no era capaz de perdonarse de verdad.

Sin embargo, quise saber si tenía algo en contra de su padre, quien aceptó vivir en la rutina diaria sin lograr el éxito. De hecho, siempre me aseguró que había querido mucho a su padre y que nunca lo había juzgado. Tengo que añadir que Jean también tenía una gran herida de injusticia y que se habría sentido realmente injusto confesando haber hecho juicios sobre su padre. El problema de la próstata le desapareció, pero Jean falleció un año más tarde de un fulminante cáncer en la médula ósea. Todos los problemas de los huesos tienen una conexión con la falta de autoestima, y esta falta también está asociada con la herida del rechazo.

En resumen, el cáncer de próstata puede ocasionarse cuando un hijo no responde a las expectativas del padre y que este último se rechaza, creyendo que no ha sido lo suficientemente fuerte para ayudar y proteger a su hijo. Este cáncer también puede estar causado por una carencia o por el miedo de un hombre a que le falte el dinero, cuando cree que es este mismo dinero el que representa su poder, el que le da la imagen de buen padre o ejemplo a su hijo. Esto explica por qué muchos hombres sufren cáncer de próstata poco después de haber decidido jubilarse. Cuando el padre se siente impotente e inútil, tiene mucho miedo de deshacer su imagen de buen padre, lo que le conduce a rechazarse, así como a tener mucho miedo de ser rechazado por su hijo o hijos.

En el ejemplo de Jean, se ve a un hombre extremadamente sensible y al mismo tiempo incapaz de sentir su dolor. Confesar haber tenido algo en contra de su padre está más allá de sus límites, así como haberle rechazado y no querer ser como él. Decía que quería mucho a su padre, pero en su modo de vida, era fácil darse cuenta de que Jean actuó de modo diferente a él, lo que es signo de rechazo.

ANNA Y EL CÁNCER DE COLON

Teniendo dos hermanos, uno mayor y otro más pequeño que ella, Anna también fue una niña que tenía que ser buena, obedecer a lo que se le decía. En el fondo de sí misma quería a su madre, que era de naturaleza autoritaria y más exigente con ella que con sus hermanos. Por otro lado, siempre fue una buena estudiante; sin embargo, nunca recibió cumplidos por parte de su madre. A pesar de su corta edad, encontraba a su madre dura y mala, y esta le repetía constantemente que era demasiado joven para saber lo que tenía que hacer y que, por lo tanto, tenía que obedecer. Por tanto, Anna se sintió muy pronto rechazada y adoptó el comportamiento de la niña que se rechaza, obedeciendo para ser querida.

Hasta los quince años, Anna y su familia vivieron en África, pero debido a problemas políticos finalmente su madre decidió volver a Francia mientras que su padre eligió quedarse allí. Esto le causó un gran dolor a Anna, pero su madre no la apoyó de ninguna manera en su pena, repitiéndole en su lugar que tenía que obedecerla y seguirla. Después de este acontecimiento, la relación con su madre se enfrío especialmente.

Hoy en día, y desde hace varios años, Anna y su marido son propietarios de una floreciente empresa con sesenta empleados a su cargo. En 2006, cuando Anna tenía cuarenta y cuatro años, una de sus empleadas los demandó por acoso psicológico. Al no entender en absoluto la razón de esta demanda, fue un gran *shock* para Anna. Se preguntaba entre otras cosas: «¿Por qué a mí? Siempre he sido muy amable con todos mis empleados. Mi marido y yo siempre hemos hecho todo lo que estaba en nuestras manos para que nuestros empleados estuvieran contentos de trabajar con nosotros».

Durmiendo muy poco, Anna estaba cada vez más deprimida y obsesionada por este asunto, que los entretuvo durante dos largos años en los tribunales. En aquel momento, su marido le recordaba constantemente que no tenían que hablar de esa demanda con nadie, ni siquiera con sus familias. Haciéndolo así, Anna se sintió cada vez más sola frente a esa pesadilla. Finalmente, ambos fueron condenados en 2008 ante un tribunal, pero más tarde, al recurrir fueron declarados inocentes.

Moral y físicamente abatida, a Anna ya no le gustaba ir a trabajar. Además, al estar siempre al acecho, se sentía como en una cárcel. Si tenía que decir algo a algún empleado, siempre se las arreglaba para que hubiese algún testigo, por miedo a que sucediese lo mismo.

Unos meses antes de que apareciese su cáncer en 2010, estaba hablando un día con su madre, la cual le confió, entre otras cosas, que se había dado cuenta de su tristeza desde hacía ya bastante tiempo. Sin embargo, Anna lo negó y trató de hacer creer a su madre que todo iba bien en el trabajo, con su marido y con sus dos niños. Sin embargo, al tener la sensación de que ocurría algo serio, su madre continuó insistiendo. Por lo tanto, Anna terminó por confesarle todo lo que había vivido desde 2006.

Cuando su madre se enteró de que el tribunal los había declarado culpables, no tuvo en absoluto la reacción que Anna esperaba. De hecho, esperaba que su madre la entendiese, la apoyara en su dolor, sin embargo ella estuvo más interesada en entender los motivos que empujaron a esa empleada a demandarlos.

Finalmente, la reacción de su madre fue la gota que colmó el vaso. De hecho, Anna dejó de esperar nada de una madre tan fría y ante la que a menudo se sentía rechazada.

Por supuesto, el diagnóstico de su cáncer fue otro gran *shock* para ella. El médico le confirmó la noticia por teléfono un viernes a las nueve de la noche, añadiendo que tenía que ir al hospital el próximo lunes, dada la urgencia de su caso, ya que el cáncer estaba en la tercera fase. Anna se sentía completamente abatida, al igual que cuando se enteró de que tenía que trasladarse a Francia, pero sin su padre, al igual que cuando le llegó la noticia de que una empleada los había demandado, como cuando su marido y ella fueron declarados culpables o como cuando vio la reacción de su madre cuando estuvo al corriente de todos los problemas a los que su hija había tenido que enfrentarse desde hacía tres años.

Aquí no es difícil establecer la conexión entre todos estos incidentes. Pero ¿por qué Anna atrajo el cáncer a este lugar en particular, es decir, al colon? Este es un extracto del libro *Obedece a tu cuerpo: ¡ámate!* que explica el aspecto metafísico del *colon* o del *intestino grueso*:

Se produce un problema en el intestino grueso cuando tienes dificultades para abandonar tus viejas ideas o creencias, que ya no te son necesarias (estreñimiento) o rechazas demasiado deprisa pensamientos que te podrían ser beneficiosos (diarrea). Las contrariedades que no puedes controlar te producen tanto miedo que las encuentras imposibles de digerir. Probablemente eres del tipo que dice «Esto es horrible» en lugar de ver el lado bueno de la situación o de la persona que despierta tu miedo por falta de algo.

Tu problema en el intestino es un mensaje importante en el sentido de que tienes que volver a aprender a alimentarte de buenos pensamientos en lugar de hacerlo con miedos y pensamientos denigrantes. Además, ya no tienes necesidad de creer en la escasez en tu mundo material. Tienes que trabajar, sobre todo tu fe, la fe en una presencia divina en ti y en el universo que está ahí para ocuparse de todo lo que vive en este planeta, incluyéndote a ti. Tienes que dejar marchar a tu antiguo tú para hacerle sitio al nuevo.

La definición anterior concierne a cualquier dolencia o enfermedad relacionados con el colon. Sin embargo, cuando se trata de un cáncer, esto indica que el mensaje es mucho más importante y urgente. Lleva ya tanto tiempo siendo ignorado —tal vez desde una edad muy temprana— que las capas de dolor acumuladas han sobrepasado los límites de la persona.

Anna necesita ponerse en contacto con los dolores repetidos que le han hecho vivir mucha inseguridad y miedo a perder algo o a alguien querido. Para asegurarse de que no reaparezca, a continuación tiene que reconciliarse con su madre y perdonarse a sí misma de ser a menudo lo que ha juzgado y no aceptado de su madre. Será necesario que se valore ante sus propios ojos en lugar de buscar la aprobación de los demás. Cuando acepte que tiene limitaciones, así como derecho a no ser siempre amable y tener que obedecer, se convertirá en lo que quiere ser. A fin de cuentas, tendrá finalmente la agradable sorpresa de descubrir la mujer especial que es, una mujer cálida y llena de talentos, incluso aunque no siempre sea lo que le gustaría ser.

Richard y la leucemia

Richard proviene de una familia con dos hijos, cuya hermana mayor estaba muy protegida por su padre. Sin embargo, con Richard, este se mostraba particularmente frío, exigente y severo. Como su padre dirigía la empresa familiar que había heredado de su propio padre, Richard pensó que si iba a trabajar con él, esto podría ayudarle a lograr un acercamiento entre ambos.

Pero pronto se dio cuenta de que esta decisión no lo había ayudado nada, ni mucho menos. Siempre tan exigente, su padre quería que aprendiese todo sobre la empresa haciéndole trabajar en todos los servicios. Las tareas no le disgustaban necesariamente, pero al más mínimo error, lo reprendía públicamente, delante de los demás empleados. Por lo tanto, Richard se sentía cada vez más rechazado, aunque hacía todo lo posible por agradar a su padre y, sobre todo, por ser reconocido por él, pero todo en vano. Este siempre estaba insatisfecho. Incluso cuando Richard se casó, a los veintidós años, fue para agradar a su padre.

Sintiéndose desesperado e impotente para cambiar la relación con su padre, decidió después de varios años (a los veintisiete) huir yéndose a trabajar a África. Al necesitar muchas vacunas, y por lo tanto análisis de sangre, se descubrió que tenía leucemia. Además, se enteró de que no había ningún tratamiento y que le quedaban, como máximo, diez años de vida. Al no sentirse muy enfermo y no tener intención de someterse asiduamente a dolorosas pruebas para seguir la evolución de la enfermedad, como le habían sugerido los médicos, Richard decidió que si iba a morir, viviría plenamente los últimos años que le quedaban.

Para empezar, se permitió divorciarse. Fue una decisión muy difícil, ya que se propuso por primera vez hacer algo por él y se arriesgó a desagradar a su padre de verdad. Tuvo que escuchar de nuevo las mismas palabras que su padre le decía con frecuencia desde muy joven: «¡Me vas a matar!». Además, empezó a fumar y a beber mucho, así como a comer todo lo que le apetecía. Se había privado de tantos caprichos desde muy joven para agradar a su padre —que le exigía la perfección en todo— que poco a poco se fue al otro extremo.

Durante esos diez años, Richard no fue nunca a otro control médico. Finalmente, viendo que seguía vivo, decidió volver a hacerse un análisis de sangre. Entonces se enteró con gran alegría de que ya no tenía leucemia. Al no sentirse realmente en forma debido a los abusos cometidos durante esos años, decidió llevar una vida más equilibrada. Por consiguiente, empezó a realizar desarrollo personal, así como a prestar más atención a su salud.

Como no había podido irse a África porque su sistema inmunitario estaba muy bajo y no podía vacunarse, decidió continuar trabajando con su padre. Sin embargo, a pesar de la enfermedad y de su curación, nada cambió en la actitud de este.

El padre, al sufrir una herida de rechazo, al igual que su hijo, simplemente quiso negar el hecho de que a su hijo solo le quedaban diez años de vida. De hecho, cuanto más trataba Richard de demostrarle a su padre que no era ni un inútil ni un incompetente, más actuaba para ser tratado de esta manera. Tomaba decisiones en el momento equivocado y siempre parecían no ser las correctas; todo lo contrario, con frecuencia acarreaban consecuencias graves para la empresa.

La «tontería» más grande –como él mismo expresó muy bien– fue cuando lo estafaron en un negocio en el que había invertido, lo cual lo mantuvo endeudado durante veinte largos años. Esa mala decisión le ocasionó aún más rechazo por parte de su padre, quien sin duda se mostró decepcionado, sin dejar de repetirle constantemente que tenía potencial, pero que no sabía cómo utilizarlo. Lo comparaba a menudo con su hermana diciéndole: «Mira a tu hermana, tienes más talento que ella, pero no te sirve de nada». Todo lo que

Richard trataba de conseguir era demostrarle a su padre que podía tener éxito por sí mismo. Sin embargo, continuaba escuchando hasta qué punto era inútil. Algo parecido nos ocurre a todos cuando estamos influenciados por la herida de rechazo.

> Cuanto más miedo tenemos a que nos rechacen, más actuamos para que nos rechacen. Se convierte en un círculo vicioso.

Llegado a una edad avanzada y con problemas de salud, el padre de Richard se resignó a jubilarse cinco años más tarde. El padre le dejó la dirección de la empresa, aunque a regañadientes y sin tener confianza ni en él ni en sus capacidades. Y, sin embargo, Richard tuvo después mucho éxito en los negocios. ¿Modificó esto lo que su padre siempre había pensado de él? ¡Por supuesto que no! Incluso le reprochó haberse vuelto un especulador.

Sintiendo que sus valores profundos estaban cada vez más en desacuerdo con el mundo de los negocios, tras doce años, Richard decidió dimitir de sus funciones y vendió la empresa a los ejecutivos, así como a otro miembro de la familia.

Finalmente comprendió que fue al tomar la decisión de querer vivir reconociendo su propio valor en lugar de esperar el reconocimiento de su padre lo que le ayudó a curarse de la enfermedad. Richard tiene ahora más de sesenta años y gracias a todo el trabajo personal de reconciliación y de perdón que hizo consigo mismo y con su padre, se ha asegurado no tener una recaída.

DENISE Y EL CÁNCER DE MAMA DERECHA

Denise también se sintió muy rechazada durante toda su infancia. Es la mayor de tres hermanos y sus padres la esperaban con muchas ganas. En contrapartida, su madre lo controlaba todo de forma permanente y Denise nunca se sintió libre para hacer lo que quería o decir lo que pensaba.

Muy pronto se dio cuenta de que tenía que hacer que su madre estuviese contenta si quería sentirse querida. Además, siempre creyó que era la menos querida de los hijos –tenía un hermano y una hermana–. Esta es la razón por la que se exigía tanto para sentirse querida por su madre. Esta, que también se rechazaba al no querer nunca que se la llamara *mamá*, pidió a sus tres hijos que la llamaran *minina*.

Alrededor de los ocho años, Denise se atrevió a llamar a su madre *mamá*. Muy enfadada, esta le lanzó a su hija una mirada glacial. Incluso cuarenta años después, Denise aún puede sentir esta mirada. Helada por la reacción de su madre, nunca más se atrevió a decir la palabra «mamá». Es evidente que esta señora nunca quiso aceptar el papel de madre.

Encontramos este tipo de casos entre las que rechazan ser como su propia madre y tienen mucho miedo de perder su feminidad al asumir tal función y, por tanto, de perder a su cónyuge. Desgraciadamente, muchas mujeres creen que no pueden desempeñar ambas funciones de mujer-esposa y madre al mismo tiempo, que tienen que ser la una o la otra, lo cual es obviamente falso. Denise sentía los celos de su madre cuando su padre le concedía favores a ella, lo cual es otra indicación del miedo de su madre de perder a su marido.

Lo mismo se repitió en la vida de Denise. De hecho, ella nunca quiso reproducir el comportamiento de su madre, haciendo todo lo posible por ser una mejor madre. Era muy maternal con sus hijos, creyendo, de esta manera, que era diferente a su madre. Sin embargo, vivía en un conflicto constante creado por la decisión de ser diferente a su madre y la creencia de que si no era lo bastante maternal con su cónyuge, se arriesgaba a perderlo.

Desde que fue consciente tras el anuncio de su cáncer, Denise se dio cuenta de que a veces también estaba celosa de su hija, al igual que su madre. Era obvio que la pareja se quería mucho, pero su marido hacía frente a una adicción desde hacía muchos años. Denise, por su parte, creyó que era bueno unirse a él en su adicción, ya que tenía el sentimiento de que se le escapaba cuando estaba bajo la influencia de las drogas. Ese problema se transformó en un conflicto en el seno de la pareja, ya que le suplicaba que lo dejase para que ella misma pudiese dejarlo. No se sentía capaz de hacerlo por sí misma y se avergonzaba mucho de esa debilidad. El miedo a perder a su marido la alejaba de su deseo de responder a la imagen de una buena madre.

Unos meses antes de la aparición del cáncer en su mama derecha, el acontecimiento que un día lo desencadenó todo fue cuando Denise sintió una intensa ira frente a su marido al decirle él que no tenía intención de dejarlo, ya que no se sentía culpable por tener esa adicción y que por el momento incluso le interesaba. Entonces ella le soltó:

—¿Será necesario que roce la muerte para que tomes conciencia del daño que me produce esta adicción?

Inconscientemente, acababa de decirle que únicamente si estaba a punto de morir o incluso moría, su marido terminaría, tal vez, por reconocer el peligro de su adicción y, por lo tanto, la dejaría.

Fue su herida de rechazo la que llevó a Denise a acusarse de ser absolutamente negada en esa situación. Vivió en la culpabilidad y en la vergüenza durante muchos años, e incluso dejó su trabajo como terapeuta, ya que se consideraba indigna de actuar como tal con esa debilidad. Ese rechazo sobre sí misma despertó lo que había vivido con su madre, quien en su juventud le había impuesto ser enfermera cuando Denise quería ser médico. En aquellos momentos se sintió rechazada al sentir que su madre no la consideraba lo suficientemente capaz como para llegar a ser médico; sentía que su madre no quería que fuese mejor que ella. En consecuencia, Denise se sintió menos que nada.

Había visto que su madre, fusionándose muy bien con su marido, quería a cualquier precio ser la mujer ideal para él, hasta teniendo dos hijos. Desgraciadamente, eligió privarse de ser maternal para continuar asumiendo perfectamente su función de esposa. A fin de cuentas, se convirtió en una madre dirigente y controladora en lugar de maternal.

Al no querer ser como su madre, Denise hizo todo lo posible para ser muy maternal, lo que al mismo tiempo despertó su miedo por perder a su marido. El hecho de consumir drogas con él le daba, de esta manera, ocasión de estar presente, fusionarse y ser seductora.

Denise también forma parte de esas personas que, después del *shock* inicial del descubrimiento del cáncer, se dijo: «¿Por qué yo? Presto atención a mi salud y soy vegetariana desde que era muy joven. He trabajado mucho en mí, no lo entiendo».

En realidad, simplemente recibe el mensaje de que debe aceptar el hecho de que es una madre como lo fue su madre, aunque a veces tiene un comportamiento diferente, y que debe hacer las paces consigo misma. Su cuerpo le muestra que ha llegado a su límite, que la felicidad llegará realmente a su vida cuando se acepte tal y como es.

Si te ves como alguien que no quiere ser como su padre del mismo sexo, esta es una indicación de que no aceptas ni a la otra persona ni a ti; por lo tanto, es una manifestación de rechazo. TODO EL TIEMPO QUE DEDICAS A NO SER COMO TU PROGENITOR TE CONDUCE A SER OTRA PERSONA QUE, DESGRACIADAMENTE, NO RESPONDE A LAS NECESIDADES DE TU SER. El padre del mismo sexo que has elegido es la persona más importante de tu encarnación. Está en tu vida para que tomes conciencia de lo que aceptas y de lo que no aceptas de ti mismo.

Recuerda que si te sientes rechazado por tu padre del mismo sexo, tú también lo rechazas, y él siente ese rechazo en la misma medida que tú, aunque en ambos esto sea inconsciente.

JEANNE Y EL CÁNCER DE MAMA IZQUIERDA

Jeanne es la quinta de una familia de doce hijos y proviene de un hogar disfuncional, en el que se alternaban la violencia y el amor. El tipo de hogar donde los niños ya no saben qué camino deben seguir. Jeanne era de naturaleza modesta, dócil y servicial, y hacía de todo para ser querida. No se atrevía a llorar, ya que tenía miedo de que su madre le pegara para que se callara, como a veces ocurría.

A los ocho años fue testigo de un acontecimiento particularmente violento: vio a su padre sostener un cuchillo en la garganta de su madre y amenazarla de muerte si no confesaba haberlo engañado. Tuvo tanto miedo de que su madre muriese que se juró que se ocuparía de sus hermanos pequeños para evitar que se reprodujese un incidente similar. Al ser alcohólico, su padre tenía a menudo excesos de ira. Jeanne se hizo esta promesa, pues en su mente infantil pensaba que sus padres se peleaban a causa de los hijos. No comprendía el significado de la palabra «engañar». Pensó que si ella se ocupaba de sus hermanos para que todos se portaran bien, evitaría en el futuro situaciones de este tipo.

A ojos de Jeanne, la estructura familiar era lo más importante y para ella la única manera de sentir que existía. A menudo reemplazaba a su madre en las tareas domésticas cuando esta estaba fuera de casa. De hecho, su madre jugaba al bingo siete días a la semana. Por lo tanto, Jeanne lo hacía todo: limpiaba, preparaba las comidas, cuidaba a los más pequeños, etc. Hoy confiesa que el hecho de haber estado tan ocupada le ayudó especialmente a sentir que existía. Acuérdate de que cuando la herida del rechazo está activada, uno cree sinceramente que no tiene derecho a existir.

Por otro lado, su madre un día podía comportarse de una manera muy maternal con todos sus hijos, pero otro podía actuar como si estuviesen de más. Por su parte, Jeanne deseaba constantemente tener una madre que pudiese ser siempre maternal, reprochándole su manera de ser madre.

En la adolescencia, empezó a decirse: «¿De qué me sirve desvivirme de esta manera? Ella no me quiere, y no me lo reconoce». Aunque buscaba por encima de todo el amor de su madre, empezó a detestarla, diciéndose que sufriría menos y que eso le haría menos daño que quererla tanto y ver que no existía para ella. A partir de ese momento, a menudo deseó que su madre muriese.

Lo que más le reprochaba era la actitud hacia su padre. Lo trataba con cariño constantemente, perdonándoselo todo, cuidándolo a pesar de su alcoholismo y de sus excesos de violencia. Su madre actuaba de la misma manera con sus hijos, mientras que las hijas tenían que estar al servicio de los hombres de la casa. En consecuencia, encontraba que su madre era muy injusta y le reprochaba interiormente que no ocupase su lugar y que no fuese capaz de hacerse respetar. Jeanne no quería ser como su madre, lo cual le daba un motivo más para ocuparse de sus hermanos y hermanas más pequeños. Quería así demostrar a su madre que era mejor que ella.

Se casó, tuvo un niño y dos niñas, y siguió tratando maternalmente a todo el mundo —a sus hijos, e igualmente a sus hermanos y hermanas— y a hacer cualquier cosa por ellos. Aunque no se sentía reconocida, siguió actuando, a pesar de todo, de la misma manera, ya que era el único modo que conocía para sentir que existía y para mantener su promesa de ser una buena madre. En aquel momento no se daba cuenta de que lo que estaba haciendo era reaccionar ante su madre.

Jeanne se divorció cuando sus hijos tenían once, diez y seis años. En aquel momento, tenía tres trabajos para que sus hijos viviesen adecuadamente y, por lo tanto, tenía que ausentarse con frecuencia. Cuando sus hijos se hicieron mayores, su trabajo la obligaba a desplazarse fuera del país durante periodos de entre uno y tres meses. Sintiéndose culpable por tener que ausentarse tan a menudo, era excesivamente permisiva, tolerando que su hijo, haciendo una estupidez tras otra, terminara siempre necesitando dinero. Al no haber aceptado todavía el comportamiento de su madre, Jeanne no se daba cuenta de que se avergonzaba de ser maternal como ella y seguía afirmando que lo hacía por amor hacia sus hijos. Incluso estaba orgullosa de ser una buena madre.

Dos incidentes marcaron fuertemente a Jeanne poco antes de que se manifestara el cáncer. El primero se produjo durante uno de sus desplazamientos, habiéndoles confiado a su excuñado y a su hijo la tarea de realizar unas reformas en su casa. A su regreso, comprobó que se habían excedido mucho en el presupuesto asignado y que algunos trabajos se habían realizado de cualquier manera. Finalmente, tuvo que contratar a otras personas para que arreglasen los desperfectos, con lo cual se gastó mucho más de lo previsto.

El segundo incidente se produjo cuando descubrió que su hija —con pareja y siendo madre de dos niños— había alquilado el segundo piso de su casa a su padre, el exmarido de Jeanne. Su hija le había dicho a ella que le reservaría el piso para que viviese en él una vez que hubiera vendido su casa. Jeanne había decidido poner su casa en venta, ya que la idea de estar cerca de su hija la hacía muy feliz, sobre todo porque adoraba a sus nietos y de esa manera podría continuar «actuando de madre» como siempre.

A veces, tras llegar de un largo viaje con un desajuste horario significativo, aceptaba ocuparse de sus nietos para complacer a su hija. Cuando se enteró de que su hija había elegido alquilarle el piso a su padre, percibió esto como un golpe bajo, ya que él apenas se había ocupado de sus hijos tras el divorcio. Esta situación despertó el miedo de que su hija prefiriese a su padre, recordándole esto la injusticia vivida con su madre.

Jeanne tenía cincuenta y nueve años en el momento en el que se declaró el cáncer. Nueve meses más tarde, aceptó acoger a su hermano y a su hermana en su casa, con el pretexto de que le tranquilizaba tener a alguien en su casa cuando estaba ausente debido a sus viajes, al igual que tener compañía a su regreso. Sin embargo, lo que no se atrevía a confesar es que esa situación le molestaba mucho más de lo que le ayudaba, y no se sentía respetada, pero, como buena *huidiza* (herida de rechazo), seguía tratándolos con cariño y dejando pasar muchas cosas. A veces se enfadaba mucho y tenía enfrentamientos con su hermano, pero todo en vano. Los problemas volvían invariablemente, y ella seguía aceptando la situación.

Cuando Jeanne descubrió que tenía cáncer, el mundo se le vino abajo. Pensó que era muy injusto después de todo el trabajo que había estado haciendo consigo misma, tanto física (en la alimentación) como psicológicamente (en desarrollo personal) desde hacía varios años. Buscó a un médico que aceptase quitarle solamente el tumor, lo que le evitaría tener que recurrir a la quimioterapia, pero todos se negaron. Por lo tanto, decidió curarse sola. Después de la biopsia del pecho, se formó poco a poco una herida y empezó a fluir líquido.

Trató de entender el mensaje de su cuerpo, cuidó bien de sí misma, comió muy sano y solo bebía zumos saludables. Hizo diferentes curas, ayunos y semanas de meditación, pero todo sin éxito. Un año más tarde la herida de Jeanne seguía estando presente, y su tamaño incluso había aumentado un poco. Tenía que darse cuenta de que continuaba negándose.

Entre tanto, su hermano siguió viviendo con ella, su hermana se marchó después de unos meses y su exmarido continuaba viviendo con su hija. Su hijo iba a verla con frecuencia para contarle sus problemas y pedirle dinero. En este sentido, la situación no mejoró mucho, pero ella se dio cuenta de que estaba sobrepasando sus límites y que era urgente tomar conciencia de lo que le estaba pasando.

A pesar de la poca mejoría observada en su cáncer y su herida, Jeanne continuó desplegando mucha energía ocupándose de sus asuntos personales, así como de su trabajo, lo que le suponía muchos viajes al extranjero. Finalmente, recibió un empujoncito del universo; según mi opinión, estaba cosechando todo lo que había sembrado desde hacía más de un año, a pesar de su enfermedad.

El acontecimiento se produjo al volver a su casa después de un largo viaje de negocios y descubrir que su hermano había abusado otra vez de su hospitalidad cometiendo actos ilícitos en su domicilio. En lugar de negarlo, como de costumbre, por fin se dio cuenta, notó y sintió hasta qué punto no se respetaba y, por lo tanto, no podía hacerse respetar.

Cuando le pedí que me describiese esa herida que no se curaba y lo que le hacía vivir, estas son las palabras que pronunció:

—Es como un intruso. Cada vez ocupa más espacio, me despoja y me hace sufrir. Es como si algo me tirara, y a veces es como una puñalada. El dolor me despierta por la noche, es muy acaparador y muy inquietante. Me siento invadida e impotente. Esto me impide dormir bien, vivir con normalidad y estar en paz, y por lo tanto, sentirme serena, feliz y confiada.

Las palabras que utilizó para describir la herida son exactamente las mismas que describen las situaciones que aguantaba desde hace tanto tiempo y que no quería ver. Con su herida de rechazo, incluso negaba haberse sentido invadida e impotente con respecto a los incidentes que se produjeron poco antes del diagnóstico de cáncer. Descubrió que lo que su ser más necesitaba era crearse una vida serena, feliz y confiada. Para conseguirlo, ya no precisaría estar invadida por sus familiares. No lo lograba porque su ego estaba convencido de que, actuando de esa manera para estar serena y feliz, sus seres queridos la excluirían.

Recordó haberse sentido excluida desde su más tierna infancia y, por lo tanto, rechazada por muchas personas. Hombres y mujeres que no querían ver el hecho de que los cuidaba demasiado. Está claro hasta qué punto nuestro ego nos juega malas pasadas. ¿Te das cuenta de que cuantas más piruetas haces para no ser de una cierta manera, más lo eres? En el caso de Jeanne, era muy maternal para no ser excluida, pero cuanto más maternal era, más se excluía. ¡Qué paradoja! Darse cuenta de esto le abrió la puerta de la conciencia. Finalmente pudo sentir el dolor que había vivido desde siempre por su forma de ser maternal.

La primera intención de Jeanne siempre fue la de sentirse querida. No se había dado cuenta de que, ante todo, primero tenía que quererse a sí misma y que entonces el amor de los demás seguiría de manera natural.

No podemos recibir de los demás lo que nosotros mismos no nos damos, al igual que no podemos dar a los demás lo que no poseemos.

Además, pudo sentir lo mismo que había sentido su madre, siendo que abusaban de ella sus hijos y su cónyuge, y también hasta qué punto le era imposible ocupar su lugar. Por último, pudo sentir el dolor que sintió su madre, así como el de ella misma, y cómo ambas se rechazaban hasta el punto de olvidarse completamente de sí mismas, creyendo que tratando a sus familiares maternalmente, serían queridas y tendrían derecho a existir.

En el momento de escribir estas líneas, unas semanas después del trabajo que hicimos juntas, el dolor de Jeanne disminuyó poco a poco. Finalmente, su hermano se fue a vivir a otra parte y su hijo tomó la buena costumbre de llamar por teléfono antes de ir a su casa. Ahora acepta verlo siempre que no sea para resolver sus problemas. Consiguió situar sus límites con ellos, al igual que aceptó la necesidad expresada por su exmarido de estar cerca de sus hijos y nietos.

Hoy en día, agradece a su cuerpo y, por lo tanto, al mensaje relacionado con su cáncer de mama, la ayuda recibida para amarse a sí misma. Solo depende de ella continuar actuando por amor hacia ella y no por miedo a estar enferma, lo que indicaría el miedo a no ser querida por los demás.

DIFERENCIA ENTRE EL CÁNCER DE MAMA IZQUIERDA Y EL CÁNCER DE MAMA DERECHA

Para una mujer diestra, el cáncer —o cualquier problema— en la mama derecha tiene una conexión con su feminidad vivida con el cónyuge. Rechaza ser como su madre y quiere ser mejor madre que ella, ignorando, simplemente, que tiene miedo a perder su feminidad actuando de manera maternal, al igual que su madre y, por lo tanto, de perder a su cónyuge. Para una zurda, es al contrario.

Para una diestra, el cáncer en la mama izquierda tiene más bien una conexión con la forma de tratar maternalmente a todos a los que quiere. Hace todo lo posible para no ser como su madre, aunque ambas tengan muchas similitudes, que se niegan por ambas partes.

En ambos casos, la mujer actúa siempre para ser mejor madre que su madre y, aunque sean parecidas, está realmente convencida de ser mejor.

UN RESUMEN DE ESTAS VIVENCIAS

Sin duda, te has dado cuenta de varias similitudes en todos estos casos:

- El padre del mismo sexo es descrito en términos similares: exigente, duro, autoritario, injusto, categórico, a menudo violento...
- El hijo es obediente, amable, prudente y hace todo lo posible para lograr que este padre esté contento, al mismo tiempo que tiene la impresión de que nunca es suficiente.
- El hijo niega su dolor y consigue creerse que su padre del mismo sexo le quiere, hasta el día en que se rebela. Si sintiese realmente este amor, no haría tantas piruetas para ser querido.
- El hijo se convierte en adulto antes de tiempo, asumiendo responsabilidades que no le corresponden.
- El hijo es incapaz de expresar lo que siente. Está convencido de que no tiene derecho a hablar delante de

los adultos. Por lo tanto, elige negar lo que le hace daño o lo que podría hacerle sufrir a otra persona.

- Por miedo a que le digan que no, el hijo tiene muchas dificultades para pedir algo, lo que representa para él un rechazo más.
- El hijo encuentra muy difícil poder ocupar su lugar y a menudo se aísla.

Estos son en realidad los comportamientos habituales de cualquier persona que está influenciada por su herida de rechazo. Si te reconoces en esta descripción y dices que no te has sentido rechazado por tu padre del mismo sexo, es muy posible que hayas utilizado diferentes palabras para describir tu relación con este padre, excluyendo a este del *rechazo*. Sin embargo, aunque hayas utilizado otras palabras para describirlo, el dolor sigue siendo demasiado fuerte.

El aspecto más importante que pone la semilla del cáncer desde una edad temprana es el hecho de vivir el dolor de la falta de amor de forma aislada. El niño niega lo que vive y no puede hablar con nadie, siendo él mismo inconsciente de ello.

Tengo el ejemplo de una señora que afirmaba categóricamente no haber vivido nunca rechazo por parte de su madre, añadiendo que esta hacía todo lo posible por sus hijos. Por el contrario, esta misma persona confesó haber vivido mucha ira hacia su madre, así como haberla rechazado a menudo, no queriendo ser como ella. De hecho, no podía admitir la idea del espejo según la cual «lo mismo que vivimos con otra persona, lo vive ella con nosotros». Por lo tanto, este es otro ejemplo de negación por esta herida tan dolorosa.

Es verdad que muchos padres severos, exigentes e injustos dicen con frecuencia a sus hijos: «Lo hago porque te quiero». Y es igualmente cierto que un niño con falta de amor elegirá creer esto, en lugar de tener que admitir que no se siente amado. Aún no tiene la madurez necesaria para saber que si no se siente amado, es simplemente porque no se ama a sí mismo. Su padre solo actúa así con él para reflejarle su falta de amor hacia sí mismo.

Por otro lado, es posible que estés pensando que no siempre fuiste obediente y prudente siendo niño y que, a veces, tenías rabietas. Te recuerdo que, en este caso, estabas más influenciado por tu herida de injusticia. Además, acuérdate de que en este libro hablo sobre todo de los dolores vividos con el padre del mismo sexo. Cada vez que hayas vivido situaciones difíciles y que hayas estado en contra del padre del sexo opuesto, son las otras heridas las que estaban en tela de juicio.

También es muy posible que si, en tu caso, estás convencido de haberte sentido mucho más rechazado por tu padre del sexo opuesto que por tu padre del mismo sexo, esta es una mala pasada que tu ego te quiere jugar. Trata de hacerte creer que es tu padre del sexo opuesto aquel contra el que más cosas tienes, pero te invito a profundizar más. He sido testigo de muchos casos en los que una persona como tú ha terminado por admitir que contra el que más cosas tenía guardadas era el progenitor del mismo sexo, por no haber salido en su defensa cuando el otro le infligía un daño físico o psicológico.

Sin embargo, toda esta rabia que experimentaste de pequeño te ayudó a acumular y reprimir menos cosas en ti, es decir, aquello que causa el cáncer. A menudo oigo a la gente decir que el cáncer es como un pequeño ser vivo que nos come por dentro. El «bichito» representa en realidad el rencor y el odio que no queremos ver y que reprimimos.

Quienes se desahogan utilizando la ira y las acusaciones hacia los demás atraerán, a su vez, otras enfermedades distintas al cáncer. Las personas con cáncer viven mucha más ira hacia sí mismos porque se ven como este padre del mismo sexo que rechazan aceptar, haciendo, de esta manera, piruetas para no ser como él.

Desde el momento en que la persona es consciente de toda esa ira reprimida y del gran dolor asociado al rechazo, podemos decir que se ha iniciado la curación. Pero esta no se podrá manifestar realmente hasta que podamos perdonarnos y hacer lo mismo hacia nuestro padre del mismo sexo, tema del próximo capítulo.

Capítulo seis

EL PERDÓN: LA ÚNICA SOLUCIÓN

Quienes conozcan bien la enseñanza de *Écoute Ton Corps* no se sorprenderán mucho del título de este capítulo. Por el contrario, tal vez si este tipo de enseñanza es nueva para ti —metafísica o espiritual— puede que se manifieste una cierta resistencia. Es completamente normal. Aún me acuerdo de la resistencia que viví hace unos cuarenta y cinco años, cuando empecé a abrirme a ciertas ideas. Inicié este proceso con el estudio y la práctica del pensamiento positivo, el cual nos enseñaban especialmente en el campo de las ventas, en el que entonces yo trabajaba.

Por mi parte, yo estaba dispuesta a aprender nuevas cosas, pero mi ego no estaba de acuerdo con mi YO QUIE-RO. Encontraba que la idea de poder manifestar todo lo que queríamos parecía demasiado bonita para ser verdad. En ese momento de mi vida, aún creía en la buena y en la mala suerte. Sin embargo, cuando empecé a tener muy buenos resultados gracias al pensamiento positivo y a las programaciones que hacía con asiduidad, por fin pude dejarme llevar.

Algunos años más tarde, una amiga me puso en contacto con una persona de California que sostenía un discurso por lo menos diferente, más espiritual. Cuando le escuché decirnos: «Yo soy Dios y todos nosotros somos Dios» desde el principio de la conferencia, la resistencia volvió con fuerza. De esta manera, tuve muchas dificultades para dejarme llevar y estar solamente con lo que decía, sin ningún juicio positivo o negativo. Oía una vocecita en mi cabeza que, entre otras cosas, me decía: «¿Por quién se toma para afirmar esas cosas? Tendrá que proporcionarme pruebas antes de que pueda creerle. ¿Cómo puede afirmar que, al igual que Dios, estamos llenos de amor y que podemos perdonar sin importar el error que se haya cometido?».

El conferenciante en cuestión hablaba de muchas curaciones de las que había sido testigo en el momento en el que las personas volvían a ponerse en contacto con su poder y su amor. Solo a través de lecturas más espirituales a lo largo del año siguiente empecé realmente a entender lo que ese hombre quería transmitirnos como mensaje. Cuando lo vi después, ya no había ninguna resistencia por mi parte. Él había creado un gran centro al sur de California y es en esta escuela donde obtuve mi licenciatura en Filosofía.

Después de tantos años y de haber conocido la experiencia de miles de participantes en nuestros cursos y talleres, es cierto que hoy en día me es más fácil tener una visión más abierta y estar muy segura de lo que digo.

> Ahora sé que es verdad que la curación solo se puede producir con la ayuda del perdón y de la aceptación de uno mismo.

Desgraciadamente, la palabra «perdón» a menudo hace reaccionar a las personas. Para algunos, esta palabra tiene una connotación religiosa, mientras que a otros les recuerda la sumisión. Muchos dicen: «Si perdonas, es como si dijeses que el otro tenía razón al tratarte así. ¡Es el otro el que tendría que pedirte perdón! No tengo nada que perdonarme, son los demás los que me han rechazado y me han hecho sufrir. ¿Cómo puede entonces Lise Bourbeau afirmar que solo el acto de perdonarse es suficiente para curar una enfermedad, algo que la medicina no ha conseguido después de muchos años de investigaciones?».

Ya sea durante mis talleres, en mis conferencias o en todos mis libros, nunca he prometido o afirmado que una persona iba a poder curarse.

Sin embargo, puedo asegurar que un gran número de personas se han curado, y otras no. Es importante diferenciar, sobre todo, el trabajo que se lleva a cabo en los planos del alma y de la paz interior. Cualquier trabajo realizado sobre uno mismo nunca se pierde.

Todo esto es para que comprendas que no tienes nada que perder y MUCHO que ganar al querer reconciliarte con aquellos que has acusado de hacerte sufrir y, sobre todo, al perdonarte a ti mismo. Si sientes resistencia hacia ti, acógela sabiendo que es normal y humano tener dificultades con toda noción espiritual. Acuérdate de que no es tu corazón el que se resiste, es tu ego el que no puede comprender este tipo de concepto. Después, date el tiempo necesario para practicar las siguientes etapas.

La responsabilidad y la aceptación

Para poner todas las posibilidades de tu lado, tienes que estar de acuerdo en aceptar el hecho de que todo lo que has creado en tu vida proviene de tu interior. Esto es lo que se conoce como el concepto de «responsabilidad». *Ser responsable* es saber que creamos constantemente nuestra vida, según nuestras acciones, reacciones, interpretaciones y decisiones, independientemente de cada situación. Puedes saber que eres responsable cuando eres capaz de aceptar cualquier cosa que hagas o que seas sin sentirte culpable, ya que siempre serás quien tendrá que asumir las consecuencias.

En resumen, la responsabilidad es el antídoto de la culpabilidad.

> Ser responsable es reconocer que toda acción tiene un efecto, y gracias a las consecuencias de ese efecto podemos ver si hemos actuado o no de forma inteligente.

También es primordial aceptar que a veces se toman malas decisiones, porque hemos dejado que nuestro ego nos llene de miedo y nos convenza de ir en contra de nuestras necesidades. Aceptar no quiere decir que estemos siempre de acuerdo.

> Aceptar es reconocer, admitir y observar un hecho. Por lo tanto, cuando hay aceptación no hay juicio.

En el momento en que te aceptas, te centras. **Centrarte significa volver a la luz.** Por consiguiente, cuando estás descentrado —cuando dejas que tu ego te dirija— te alejas de tu luz. Tienes que saber que cuanto más descentrado estás, más te encuentras en una especie de niebla que te impide ver las situaciones y las personas tal como son. Esta ausencia de luz te limita a la hora de reconocer las necesidades de tu ser.

Cuando no puedes aceptar una situación o una persona y quieres cambiarla, es como si estuvieses frente a una puerta y la golpeases con el puño para que se abriese. No te das cuenta de que hay un pomo para abrirla, porque tienes la nariz pegada a la puerta y la percibes como una pared. A fuerza de golpes, cada vez te haces más daño.

La aceptación se puede comparar con el hecho de tener perspectiva, de observar la situación tal como es y de darse cuenta de que esta puerta tiene un pomo y que simplemente tienes que girarlo para abrirla fácilmente. Por lo tanto, la aceptación te conduce hacia nuevos horizontes, en lugar de encontrarte prisionero de tus miedos, e impide que te hagas daño hasta el punto de aterrorizarte.

Para ayudarte a recorrer las diferentes etapas de la reconciliación y del perdón, utilizo el ejemplo de Denise, que realizó estas etapas conmigo.

ACUSACIONES Y EMOCIONES

La primera etapa para llegar a perdonarse a uno mismo es la siguiente. Volvamos al ejemplo de Denise. Se toma un momento para tranquilizarse y relajarse. Ahora sabe que el día que se enfadó con su marido porque no quería dejar su adicción y le dijo: «¿Será necesario que roce la muerte para que tomes conciencia del daño que me produce esta adicción?», se despertó en ella toda la ira contenida por haber sido débil frente a su madre y por ser como ella, ya que hacía todo lo posible para no perder a su marido.

Denise cierra los ojos y comprueba todas las acusaciones que lanzó a su madre en el plano del ser. A continuación, anota en un papel lo que ha ocurrido:

- Acusé a mi madre (hasta hoy) de ser controladora, manipuladora, injusta, egoísta, rencorosa, débil y sumisa.

A continuación, comprueba cómo se sintió con una madre que desempeñaba la función de ser débil y sumisa con su marido y, al mismo tiempo, era injusta con Denise, y anota en el papel:

- Me he sentido rechazada, triste, enfadada, desesperada, incomprendida, no escuchada, sola, aislada de toda la familia. Sentía que no tenía derecho a existir.

No se puede ser completamente consciente de una situación sin asumir lo que dicha situación nos hace sentir. Sin sentimiento, solamente hay análisis.

Cuando realizas este tipo de trabajo y tienes dificultades para expresar en palabras lo que sientes, es porque no te has permitido sentir la ira. En cada situación dolorosa vivida, SIEMPRE hay ira.

Manteniendo los ojos cerrados, tómate un tiempo para comprobar en qué parte de tu cuerpo se sitúa esta ira. Comprueba su intensidad en una escala del uno al diez, siendo el diez el grado de ira más extremo que puedes vivir.

Denise localizó la ira en su garganta, lo que le recordó su impotencia para poder expresarse y ser escuchada por su madre.

A continuación, deja surgir todo lo que viene con esta ira y permítete sentir completamente lo que nace en tu interior cuando sufres. Solo sintiendo y aceptando bien esta ira podrás sentir las otras emociones que se esconden detrás y, sobre todo, el miedo al rechazo.

Observa esta ira en ti y acepta la idea de que es normal y humano vivir este tipo de ira cuando sufres. Estar enfadado no significa que seas una mala persona. Al contrario, esto demuestra que eres una persona sensible y que tienes la capacidad de sentir tu sufrimiento, lo que constituye un requisito indispensable para curarla. Llena este espacio —donde tu ira está más concentrada— de luz blanca y haz varias respiraciones profundas. En este punto, estás preparado para la siguiente etapa.

MIEDO Y EXPECTATIVAS

Ahora que Denise es consciente de los reproches hacia su madre y hacia sí misma, y de lo que sentía y experimentaba, puede pasar a la etapa de enfrentar qué es lo que realmente teme en lo que concierne a su marido.

Algo importante que tienes que recordar es que en cualquier situación desagradable, siempre temes por ti. Sin embargo, tu ego te hace creer que temes por los demás. Con respecto a Denise, ella cree que tiene miedo por lo que podría ocurrirle a su marido, sobre todo si su adicción sigue creciendo.

> El verdadero miedo es el que sentimos por lo que pueda ocurrirnos a nosotros y no por lo que pueda ocurrirle al otro.

Por lo tanto, Denise empieza a anotar qué miedos son los que la llevan a experimentar una ira tan profunda:

- Tengo miedo de morir si continúo siguiéndolo en su adicción. También tengo miedo de que si dejo de consumir, no voy a soportar ver cómo se destruye y voy a terminar por dejarlo. Por lo tanto, tengo miedo de perder el amor único que hemos vivido, de romper la unidad familiar, de vivir una incertidumbre financiera y de ver desaparecer como el humo la obra maestra familiar que hemos construido juntos.

- Tengo miedo de ser una esposa controladora, manipuladora, injusta, egoísta, rencorosa, débil y sumisa como mi madre y, por consiguiente, de que mis hijos me juzguen como una mala madre.

A continuación, Denise anota cuáles han sido sus expectativas respecto a su marido y respecto a sí misma en esta situación:

- Esperaba que mi marido me quisiese lo suficiente como para escuchar mi grito de socorro y que se sintiese culpable en el caso de que me ocurriese algo.
- Consideraba que era capaz de dejar de ser tan dependiente de mi marido, para por fin liberarme y ser yo misma en lugar de comportarme como mi madre.

Ahora, Denise empieza a reconocer y a sentir que sus miedos, al igual que sus expectativas, son exactamente los mismos que los vividos por su madre con su propio cónyuge toda su vida. Se toma el tiempo necesario para asumir esta realidad que nunca antes había visto.

¿Eres consciente de que tener expectativas respecto a los demás, así como respecto a ti mismo, es una indicación de falta de amor y de aceptación? Es tu ego el que está detrás de cualquier expectativa infundada. Te pides demasiado sin tener en cuenta tus limitaciones y haces lo mismo con los demás. Esto está estrechamente relacionado con la gravedad de la enfermedad. Cuanto más allá de nuestros límites queramos ir, más allá de sus límites irán las células nocivas. Las células no son más que un reflejo de lo que creamos en el plano psicológico.

> Como creador, tú eres el único
> responsable de lo que creas.

Es importante entender que el cáncer no es un virus que proviene del exterior, sino de nuestras propias células.

El hecho de admitir y reconocer que lo que Denise vive en esta situación es el resultado de sus propios miedos y de sus propias expectativas poco realistas le ayuda a asumir su responsabilidad y, sobre todo, a aceptar la idea de que es precisamente esta actitud la que ha atraído este tipo de situación a su vida.

TRIÁNGULO, ESPEJO Y RECONCILIACIÓN

La etapa siguiente es muy difícil para el ego. Se la conoce como el ejercicio del espejo. De hecho, cada vez que acusamos a otra persona de ser lo que sea, esto significa que nos acusamos de lo mismo y que esta persona también nos acusa por su parte. *Es el triángulo de la vida.* Este triángulo también se da en el plano de los sentimientos y de las emociones, y todos lo vivimos en el mismo grado.

Sin embargo, no hay que perder de vista que estas acusaciones, la mayoría de las veces, no están relacionadas con los mismos comportamientos. Por ejemplo, puedes juzgar a una persona de ser irrespetuosa cuando es impaciente contigo, y ella puede, a su vez, juzgarte de ser irrespetuoso cuando tratas de controlarla o de inmiscuirte en su vida.

El espejo solo refleja el SER.

La gran ley de atracción estipula que siempre atraemos a los que vibran a la par que nosotros. Esto explica por qué si les preguntas a tres personas su opinión sobre una cuarta a la que acaban de conocer, obtendrás tres respuestas diferentes. La han conocido a la vez y es la misma persona, pero cada una de ellas la ha percibido como lo que ella misma es. Por lo tanto, le ha agradado aquello que le agrada de sí misma y no le ha gustado lo que aún no acepta de sí misma.

Volvamos al ejemplo de Denise. Para llevar a cabo el ejercicio del espejo, tiene que anotar las siguientes frases en un papel basándose en lo que ya ha escrito, pero empezando cada frase con «mi madre»:

- Mi madre me ha juzgado y acusado siempre de ser controladora, manipuladora, injusta, egoísta, rencorosa y débil.
- Mi madre se siente rechazada, triste, enfadada, desesperada, incomprendida, no escuchada por mí, sola y aislada. También siente que no tiene derecho a ser ella misma.
- Mi madre tiene miedo a morir si sigue siendo tan dependiente de su marido. También tiene miedo de que si deja de actuar de esta manera, podría decidir abandonarla. Por lo tanto, tiene miedo de perder el amor único que ha vivido, de romper la unidad familiar, de vivir una incertidumbre financiera y de ver desaparecer como el humo la obra maestra familiar que ha construido con él.

Puede que sea difícil admitir que el otro, con el que has vivido una situación difícil, haya sufrido en el mismo grado que tú y te haya acusado de las mismas cosas. Por esto es por lo que Denise tiene que dedicar todo el tiempo que sea necesario para sentir que su madre sufre tanto como ella, en el mismo grado. De esta manera, podrá desarrollar la compasión por ella, ya que este ejercicio ayuda a abrir el corazón, al igual que la persona que abre la puerta que había percibido como una pared, como hemos comentado en un ejemplo anterior.

Cuando consigues sentir el dolor de la otra persona, acabas de completar la etapa de reconciliación con ella. Entonces te sientes muy aliviada y ya no puedes estar en contra de esta persona.

PERDONARSE A UNO MISMO

Ahora hemos llegado a la etapa más importante, pero también la más difícil, es decir, la del perdón a uno mismo. Perdonarse es el mayor acto de amor hacia uno mismo. Sin embargo, para llevarlo a cabo deberás vencer la inevitable resistencia de tu ego, ya que este hará todo lo que pueda para impedírtelo. Trata de comprenderlo; él sabe que cuanto más te quieres, menos poder tiene sobre ti. Por lo tanto, siente un miedo visceral de perder su lugar y su autoridad. Por esto es por lo que escucharás muchas vocecitas interiores que te dicen todo tipo de cosas para disuadirte de hacer lo que debes. No podemos culpar a nuestro ego de actuar de esta manera, ya que cuando decidimos querernos en lugar de rechazarnos, él ya no entiende nada.

El ego está tan acostumbrado a que le dejes decidir por ti que está convencido de que sin él, vas a sufrir hasta, posiblemente, morir.

Cuando empezamos a aceptarnos, a querernos, incluyendo las facetas de las que no nos sentimos orgullosos, retomamos contacto con nuestro poder interior. Al recibir cada vez menos alimento, el ego empieza a disminuir y cree que va a desaparecer para siempre. Por lo tanto, es importante que a medida que comiences a amarte y a actuar en consecuencia, tranquilices a tu ego. Explícale que la memoria mental con la que ha sido creado siempre estará ahí, con la diferencia de que esta memoria ya no tendrá influencia sobre ti.

Volvamos al ejemplo de Denise. Para superar esta etapa, primero tiene que aceptarse y permitirse haber estado en contra de su madre, hasta el punto de haberla odiado en algunos momentos, ese mismo odio que la mantenía en el miedo constante y le hacía crearse expectativas infundadas.

Después, tiene que aceptar ser la que acusaba a su madre de ser lo que era, lo que abrirá definitivamente su corazón de manera óptima. Este ejercicio puede hacerse de la siguiente manera:

- Admito que a veces también he sido controladora, manipuladora, injusta, egoísta, rencorosa y débil. Cuando actúo de esta manera, es porque mi herida de rechazo está abierta. No quiero comportarme así y no quiero seguir acusando a los demás para evitar sentir hasta qué punto me rechazo.

Es posible que esta etapa te lleve más tiempo, pero es importante que vayas hasta el final. Tu determinación a la hora de aceptarte plenamente marcará una gran diferencia en tu vida. Cuando lo consigas, serás consciente por fin del espejismo en el que habitabas cuando creías que solo rechazabas al otro mientras ignorabas que también te rechazabas a ti mismo.

En tu vida, los demás solamente están ahí para ayudarte a ser consciente de lo que aceptas y de lo que no aceptas de ti.

Esta es la razón por la que la etapa de la reconciliación con el otro, aquella en la que aceptas que los demás son tu espejo, tiene que hacerse antes de esta última etapa, ya que te ayuda a tener compasión por la otra persona, contribuyendo así a empezar a abrir tu corazón.

Esta etapa también es necesaria, ya que te muestra cómo proceder de la misma manera contigo, cómo tener compasión por esa parte de ti —el niño interior— que sufre desde hace mucho tiempo. Al tener siempre miedo al rechazo, esta parte de ti es siempre reactiva.

Como nada puede cambiar ni hay transformación sin aceptación, esta parte tiene que sentirse absolutamente aceptada y no rechazada como si fuese mala, indeseable o estuviese de más. Cuanto menos aceptado se siente tu niño interior más patalea y más se revuelve gracias a tu ego. Y con eso solo provoca cada vez más rechazo.

¿Has intentado apartar a un niño que no deja de molestarte diciéndole que se marche, que se vaya a «jugar a otra parte»? Cuanto más lo rechazas, más vuelve a la carga, hasta el punto de perder el control y montar una pataleta, aunque sepa de antemano que será castigado. Esto es lo que consigues con las partes de ti que intentas rechazar, ignorar. Terminan por querer tomar el control completo para indicarte que tienen derecho a existir, lo que al final puede terminar por manifestarse bajo la forma de células cancerosas.

En el momento en que aceptes las partes de ti que a veces son las facetas que más te cuesta admitir, es como si le dijeras al niño demandante: «Cariño, sé que necesitas atención. Pero en este momento estoy ocupada y realmente no tengo tiempo. Mi estrés no tiene nada que ver contigo. Lo que pasa es que no sé gestionar mi tiempo. Sé que un día lo conseguiré, pero por ahora está más allá de mis límites. Tienes que saber que mi falta de tiempo no tiene nada que ver con el amor que siento por ti».

Por otro lado, no debemos hacer promesas que no podremos mantener. Por ejemplo, si una madre le promete a su hijo que se ocupará de él más tarde y no lo hace, el niño le perderá el respeto y se volverá aún más demandante. Todos los padres tienen que aceptar el hecho de que no siempre saben cómo manejar las vicisitudes de la vida, al tiempo que se ocupan de sus hijos.

A menudo nos convertimos en padres cuando aún no hemos dejado de ser niños. Desgraciadamente, para ser padre no se nos exige un diploma que acredite nuestra preparación, como se exige en muchas otras «profesiones». Por eso, nuestros hijos son, y serán siempre, el mejor modelo para hacer consciente lo inconsciente, sobre todo aquello que no aceptas de ti mismo.

He mencionado anteriormente que esta etapa era la más importante porque en ella comienza la curación de tu cuerpo.

El hecho de aceptarte, lo que significa una gran expresión de amor hacia ti mismo, abre tu corazón espiritual.

¿Es posible que la apertura del corazón espiritual tenga un efecto instantáneo en nuestro corazón físico y, por lo tanto, en la calidad de nuestra sangre, que se llena de bálsamo curativo, una especie de magnetismo que circula por todo el cuerpo, ayudando de esta manera a las células a regenerarse? Este fenómeno, tal vez, podría ser lo que algunos denominan «milagro».

El cuerpo físico es asombroso. Estoy convencida de que el corazón posee enormes poderes. ¿No os habéis preguntado nunca por qué este órgano no padece cáncer? Está en el centro del cuerpo para recordarnos que cuando nos situamos en nuestro corazón —amor por uno mismo y aceptación— estamos centrados.

Estar centrado significa estar equilibrado. Si te colocas sobre el mismo centro de un disco enorme, no te caerás aunque gire a toda velocidad, mantendrás tu equilibrio. Por el contrario, si intentas desplazarte un poco hacia el borde, perderás el equilibrio y serás proyectado hacia fuera del disco. Por algo la medicina oriental cosecha tantos éxitos. La filosofía oriental está enfocada, precisamente, hacia la consecución del equilibrio en todos los ámbitos de nuestra vida.

CONEXIÓN CON UN PADRE

Cuando hayas superado la etapa anterior del perdón a ti mismo, te sugiero que establezcas la conexión con una o varias situaciones de tu infancia (o de tu adolescencia) en las que viviste lo mismo o algo parecido. No me refiero a la situación, sino a lo que experimentaste en el plano de las emociones y los reproches. Es muy fácil autoconvencerte de que ya no tienes nada en contra de la persona que te hirió, y de que te has aceptado por completo. Este es otro truco del ego. Recuerda lo fácil que le resulta hacer que nieguen la herida de rechazo aquellos que la sufren. De hecho, ese es el mayor obstáculo para completar la etapa del perdón a uno mismo.

Como es muy difícil aceptar haber estado enfrentado, incluso haber odiado a nuestros padres, el hecho de conectar ambas experiencias resulta muy valioso para lograr el perdón completo, y aumentar, de esta manera, tus posibilidades de curación. ¿Existe siempre una conexión?, me preguntarás. Por supuesto.

Todas las situaciones emotivas vividas en la edad adulta no son más que repeticiones de lo que ocurrió durante nuestra infancia y adolescencia. Tenemos que repetirlo constantemente, hasta que conseguimos identificarlo y aceptarlo. Desgraciadamente, muchas personas tienen que volver vida tras vida para experimentar de nuevo lo mismo.

Me he dado cuenta de que cuanto menos se quiere entender el mensaje que se repite, más importante se vuelve este para ayudar a la persona a ver la realidad en lugar de negarla. Esto explicaría por qué alguien atrae una enfermedad grave –incluso mortal– tras un comportamiento relacionado con la herida de rechazo. A menudo vemos a otras personas que han vivido el mismo tipo de trauma cuando eran jóvenes, y no se encuentran con una enfermedad tan complicada. Esto indica que se ha activado otra herida distinta a la del rechazo.

Ahora sé que cualquier enfermedad grave, física o psicológica, siempre está relacionada con la herida del rechazo.

Como el cáncer tiene una conexión directa con la herida de rechazo, y esta se vive con el padre del mismo sexo, Denise se plantea, entonces, la siguiente pregunta repitiendo las mismas palabras que en las etapas anteriores:

- ¿En qué situaciones he acusado a mi madre de ser... con mi padre o conmigo y he tenido miedo de...?
- ¿Es posible que mi madre me haya juzgado, acusado de ser lo mismo que ella en las situaciones anteriores debido a nuestro miedo común a...?

En este punto descubre varias situaciones, y cada toma de conciencia lleva a Denise cada vez más hacia su corazón, allí donde se encuentra la luz. Es como si se hallase en un túnel oscuro y cada respuesta sincera que proviniera de sus preguntas la acercase más hacia la gran luz que percibe a lo lejos, a la salida del túnel. Esta luz le ayuda no solo a ver la realidad, sino a _calentar_ su corazón espiritual.

Este calor también se siente en todo el cuerpo, lo que es muy bienvenido por las personas que sufren de rechazo. De hecho, estas son más bien frioleras y se quejan a menudo de tener frío, aunque los demás afirmen que hace calor. Esta sensación de frío es producto del bloqueo interior provocado por la gran falta de autoestima.

> Si tienes frío a menudo, es tu corazón el que busca la calidez del perdón y de la aceptación.
>
> En otras palabras, tu corazón quiere que te quieras tal como eres.

COMPARTIR LO VIVIDO

Ahora, a Denise solo le queda expresarse, compartir con su marido lo que ha descubierto al realizar las etapas anteriores. Esto le permitirá practicar antes de emprender la difícil etapa relativa a su madre, que representa la última prueba para tomar conciencia de que su perdón se ha completado de verdad. Te recuerdo que siempre hay más resistencia por parte de tu ego cuando se trata de un padre.

Si, por ejemplo, el ego de Denise pusiese todo tipo de objeciones, como las que enumero a continuación, eso sería señal de que aún no se ha perdonado:

- Ni se te ocurra decirles esas cosas a tu marido y a tu madre, sabes bien que se reirán de ti, que no lo entenderán.
- Nunca han leído estos libros ni se han interesado en desarrollo personal, no sabrán de lo que hablas.
- Tu madre ya no está en buenas condiciones; decirle todo esto y sobre todo que la has odiado, solo hará que se sienta peor. No digas nada.
- No necesitas ir a verla, sabes que la has perdonado, ¿para qué revivir recuerdos tan dolorosos?

Otra indicación de que no nos hemos perdonado completamente es cuando vamos a ver a uno de nuestros padres para pedirle perdón por haberlo juzgado, acusado y, especialmente, odiado. Si necesitas que otra persona te perdone, es señal de que aún no te has perdonado. Y si le dices que la has perdonado por haber actuado de esa manera contigo, esto demuestra que aún la acusas, que juzgas su actitud como inaceptable y que no quieres que se repita.

Solo el perdón a uno mismo tiene el poder de curar, ya que llena nuestra sangre de energía sanadora.

> Nadie tiene el poder de perdonar a otro. Solo uno mismo puede perdonarse.

Creer que somos tan buenos que podemos perdonar a otra persona del daño que nos ha hecho es, sin duda, una de las mejores maneras de conceder un gran poder a nuestro ego. En el ejercicio anterior, Denise no le perdona nada a su madre, solo siente compasión por el sufrimiento que hizo que aquella mujer actuara de ese modo. Acepta, observa y reconoce la manera en la que ocurre una situación. De esta forma, no es ni bueno ni malo, simplemente ES.

Durante este tipo de intercambio, te sugiero que le preguntes a tu padre (o madre) en qué momento vivió con su padre de su mismo sexo una situación que le generara miedos, emociones y reproches similares a los que tú has experimentado en la situación que ambos habéis compartido. La mayoría de las veces, el padre es capaz de reconstruir una situación como esa. Es sorprendente el hermoso intercambio que puede haber entre un hijo y su padre, cuando no hay ningún reproche ni ningún juicio, sino solamente compasión.

Es muy posible que incluso antes de compartir con su madre lo que ha descubierto, Denise empiece a sustituir el resentimiento por compasión, sabiendo que su madre, a su vez, vivió lo mismo con su abuela. Al ser tan reactivo, nuestro ego puede hacernos creer que todo está perdonado. Por mi parte, prefiero no correr ese riesgo. Más bien, te sugiero que expreses lo que has descubierto. Solo así podrás saber si te aceptas de verdad. Si ya no te juzgas por haber sido malo e ingrato con tu padre, si sientes compasión por ti y por el otro, comprobarás que es mucho más fácil compartir este descubrimiento con él.

RESUMEN DE LAS SIETE ETAPAS

El siguiente es un resumen de las siete etapas de la reconciliación y del perdón que te sugiero para cualquier dolor vivido con otra persona, en cualquier situación:

1. Tomar conciencia de las ACUSACIONES lanzadas en contra de la otra persona, así como de las EMOCIONES vividas.

2. Asumir tu RESPONSABILIDAD sabiendo que tus expectativas frente a la otra persona, así como el miedo que sentías, han atraído esta situación.

3. RECONCILIARTE con la otra persona sabiendo que ella te acusa de lo mismo, vive el mismo miedo y se siente como tú en esa situación.

4. PERDONARTE sintiendo compasión por la parte de ti que sufre y que tiene miedo.

5. Establecer la CONEXIÓN tanto con el padre del mismo sexo como con la persona con la que has vivido las emociones. Con respecto al cáncer, siempre es con el padre de tu mismo sexo.

6. Tener el DESEO DE EXPRESAR a la otra persona lo que has vivido y lo que aún vives. Dedicar tiempo para prepararte, visualizándote haciéndolo.

7. REUNIRTE CON LA OTRA PARTE INVOLUCRADA y compartir con ella lo que has aprendido sobre ti gracias a esta situación.

DIFICULTAD PARA ACEPTARSE

Si te das cuenta de que tienes dificultades para perdonarte y, por consiguiente, para compartir lo que has vivido con tu padre, acepta que en estos momentos ese es tu límite. Eso solo significa que el sufrimiento es demasiado profundo y que aún te resulta imposible perdonarte. Es normal que aparezcan resistencias cuando descubrimos que aquello que le reprochábamos a nuestro padre o madre, o a cualquier otra persona, nos lo estábamos reprochando también a nosotros mismos. Nuestro ego, convencido de que solo pueden fallar los demás, rechaza reconocer este hecho.

Te reitero que el ego no es capaz de entender o de aceptar nociones espirituales, ya que ha sido creado a base de energía mental. Por su parte, solo puede pensar y razonar a partir de todo lo que la mente ha registrado en su memoria. La dimensión espiritual va mucho más allá, ya que no se puede probar ni explicar de forma racional. Por esto nuestra dimensión mental —y, por tanto, nuestro ego— no puede comprender todo lo que revela la dimensión espiritual. Todas las nociones sobre el amor incondicional, el perdón, la responsabilidad y la aceptación forman parte de esta dimensión.

Antes de compartir con tu padre lo que has vivido, tómate unos minutos todos los días para visualizarte expresándole tu experiencia, al tiempo que sientes el sufrimiento que él siente en el mismo grado que tú. A medida que tu corazón se abra durante estos ejercicios, poco a poco llegarás a aceptarte de verdad y a acceder de esta manera a las otras etapas del verdadero perdón.

Este ejercicio de reconciliación y de perdón es, sin duda, la manera más rápida y la más eficaz para captar finalmente, con los ojos del corazón, el retrato de la situación, así como el de todas las personas implicadas. De esta manera, dejamos de ver la situación con las anteojeras de nuestro ego, que restringe enormemente nuestra visión.

La verdadera comprensión de cualquier situación solo se manifiesta después de haberla aceptado con el corazón.

Como puedes comprobar, cada etapa te acerca hacia tu corazón y hacia el amor verdadero. Solo es en la cuarta etapa —la del perdón a uno mismo— cuando te encuentras en la luz, ya que únicamente ella posee el gran poder de la curación. Ya solo queda dejar que esa energía emane de tu corazón divino y sane tu cuerpo. Las siguientes tres etapas son muy importantes para comprobar si la del perdón a uno mismo se ha realizado de verdad.

¿LA CURACIÓN ES POSIBLE PARA TODOS?

No se puede afirmar que todo el que consigue perdonarse logra curarse. Es verdad que he sido testigo de innumerables curaciones a lo largo de los últimos treinta años, por lo que soy capaz de ayudar a las personas a tener esperanza.

Por el contrario, he conocido a algunos que realmente se perdonaron y que, a pesar de todo, dejaron este mundo, pero con el alma en paz. Deduzco que murieron curados, ya que la verdadera curación va más allá del cuerpo físico. En general, el cuerpo es el reflejo de lo que ocurre en el plano psicológico. Pero si hemos sufrido demasiado tiempo en los planos físico y psicológico, es posible que el organismo ya no tenga la fuerza necesaria para revertir el proceso y, de esta manera, volver a su estado de salud normal. ¿O puede ser que algunas almas, sabiendo que han alcanzado su finalidad de perdonarse, elijan volver al mundo del alma? ¿Quién sabe? Es su vida, su elección.

También puedo declarar que hay personas que, al no haber conseguido perdonarse, mueren llevando consigo todo el dolor causado por el odio o el rencor que sentían. Sin embargo, podrán continuar su proceso de perdón en otra vida de manera más fácil, después de haber experimentado y aceptado en esta sus límites y el hecho de no poder conseguirlo.

Independientemente de que una persona pueda seguir viviendo o no, lo más importante es que el verdadero perdón que ha llevado a cabo haya contribuido a la curación de su alma, lo que marcará una gran diferencia para ella en el mundo del alma y en sus vidas futuras.

Curarse es liberar todo lo que bloquea nuestra energía.
Curarse es encontrar la libertad.

En resumen, cualquier persona que desee ayudar a un enfermo tiene que hacerlo no para intentar curarlo físicamente, sino para aportarle un apoyo en el plano del alma.

He mencionado en el segundo capítulo que con la actual energía de la Era de Acuario, todo se acelera. Esto significa que esta energía se puede utilizar para acelerar una enfermedad o los efectos nocivos del cáncer y, sobre todo, para acelerar el proceso de curación.

Aquí pienso en dos casos diferentes. El primero es el de un hombre de unos cuarenta años que luchaba contra un cáncer. Vamos a llamarlo Robert. Ya no me acuerdo ni cómo ni dónde empezó este cáncer, pero cuando lo conocí a lo largo de varios talleres de *Écoute Ton Corps*, tenía el lado derecho, a la altura de la cintura, corroído por la enfermedad. Obviamente, sufría mucho. Solo podía dormir y sentarse en una silla especial. Por lo tanto, siempre venía a los talleres con otra persona que se encargaba de transportar dicha silla.

Robert había elegido establecerse en Quebec, desde Francia, para alejarse de su padre, del cual tenía mucho miedo. Este había decidido que su hijo se convertiría en un gran deportista para compensar el hecho de que él mismo no había podido realizar tal sueño. Él también había sufrido a un padre dominante y por ese motivo se convirtió en un hombre de negocios próspero, para tratar de obtener cierto reconocimiento por su parte.

Robert copió su comportamiento, así como todo lo necesario para ser querido por su padre, como obligarse a entrenar mucho y practicar varios deportes. Sin embargo, todos esos esfuerzos nunca consiguieron satisfacer a su progenitor, que jamás se molestó en felicitarlo cuando lo hacía bien, pero que no perdía la ocasión de criticarlo al más mínimo fallo.

Robert se rebeló, se marchó de casa, se casó y tuvo cuatro hijos. Mientras tanto, su padre siguió hostigándolo, criticándolo, no estando nunca de acuerdo con sus elecciones. Fue en ese momento cuando decidió ir a vivir a Quebec. Al año siguiente de esta mudanza, Robert empezó a sentirse enfermo, para después descubrir que tenía un cáncer. Cuando su padre lo supo, insistió en que acudiese a un gran especialista estadounidense, y se mostró dispuesto a desembolsar una fortuna si era necesario. No dejaba de llamar a Robert para hacerle entrar en razón.

Al estar siempre en desacuerdo con su padre, Robert decidió hacer justo lo contrario. Eligió no seguir ningún tratamiento médico, sino invertir sus energías en el desarrollo personal.

Sin embargo, mi primer consejo fue invitarlo a dejarse ayudar por la medicina, ya que su caso era muy grave. Su mujer, que lo acompañaba a menudo a los talleres, también tenía la misma opinión que yo. Cuando vi que se oponía firmemente, le dije que si al menos conseguía hacer las paces con su padre, así como consigo mismo, utilizando las diferentes etapas del perdón, aquello solo podría tener buenas consecuencias para él.

Finalmente, Robert aceptó, pero su herida de rechazo era tal que no lo conseguía. Su cáncer apareció en el momento en el que se dio cuenta de que se estaba volviendo cada vez más como su padre, aunque vivía lejos de él. Por ejemplo, Robert se mostraba cada vez más exigente con sus hijos y terminaba incluso por pegarles cuando estos no lo escuchaban. A continuación, iba a esconderse al sótano de la casa llorando a lágrima viva y criticándose por no ser mejor que su padre. Sin embargo, estaba convencido de que al vivir lejos de este, no viviría más este tipo de ira.

Robert participó en varios talleres. Escuchaba bien e incluso llegó a sentir que su padre lo quería a su manera, que este no podía quererleo de otra manera, ya que reproducía el poco amor que él mismo había recibido. No obstante, desgraciadamente nunca consiguió perdonarse a sí mismo por haber odiado tanto a su padre, así como por haber actuado como él, haciendo que sus hijos lo odiasen también. Finalmente falleció, aunque con el consuelo de haber tenido el deseo sincero de conseguirlo. Al final, su dolor se mostró demasiado intenso para que pudiese lograrlo en esta vida.

El otro caso que suscita mi interés es este amigo, llamémosle Normand, al que vi en el hospital unas semanas antes de su fallecimiento y que, en el espacio de unas pocas horas, entendió el rechazo vivido con su padre. Nunca había sido consciente de ese dolor, ya que su padre había sido ingresado en un hospital psiquiátrico cuando él era todavía un niño. Por lo tanto, había sido criado por su madre y había conocido muy poco a su padre. Normand era de un rigor extremo y resultaba fácil ver en todo su cuerpo sus grandes heridas de rechazo e injusticia.

A medida que se abandonaba, hablaba de su infancia y sentía cada vez más todo lo que había vivido a lo largo de todos esos años y que estaba reprimido, pude sentir lo que le ocurría. Podía percibir en sus ojos todas las transformaciones que poco a poco se producían en él. Fue una experiencia muy bonita para ambos y los dos lloramos de felicidad.

Antes de marcharme aquella noche, Normand me confesó que sentía su cuerpo tan agotado que le daba igual vivir o morir. A la vista de su mirada brillante de felicidad y de paz, me sentí, no obstante, tranquilizada. Me acuerdo, incluso, de haber hecho la reflexión de que efectivamente los ojos son el reflejo del alma. Entonces supe que se había curado de verdad, aunque eligió no vivir más. No me sorprendió que falleciera algunas semanas más tarde.

Lo que más importa en el caso de Normand es que falleció con el corazón en paz y que consiguió sentir el dolor de su padre, al igual que el suyo. Ya hacía mucho tiempo que sufría y que no comía casi, pero no se lo había dicho a nadie, ya que deseaba combatir su enfermedad por sí mismo. De esta manera, fue necesario que su cuerpo llegase al límite antes de que decidiese ir a ver a un médico. En el momento en el que vuelva con otro cuerpo sano, Normand podrá continuar el camino de su alma.

ROMPER UN CORDÓN

Siempre que sientes rencor hacia otra persona, te mantienes prisionero. Es como si un cordón te uniese constantemente a esa persona. Tienes que entender que este cordón se ha creado con uno de tus padres desde tu más tierna infancia. Cuanto más fuerte es el rencor, más odio hay, y más grueso y difícil de romper es el cordón. Por lo tanto, el tamaño del cordón es significativo en cuanto al grado de sufrimiento vivido con este padre. Cada vez que otra persona te haga revivir este mismo dolor, sientes que el cordón te aprisiona y te bloquea la energía que quiere circular libremente por tu cuerpo.

Esta es la razón por la que tantas personas que viven no solo de rencores, sino también del odio, se sienten atrapadas por cordones gruesos. Cada vez más impotentes, terminan por crearse enfermedades importantes. Cada una de estas enfermedades es el reflejo del bloqueo de energía que ocasionan los cordones.

De manera regular oigo a personas decir que en ningún caso perdonarían a quien, según ellas, les ha hecho tanto daño. Que es la otra persona la que tiene que venir y pedir perdón. Debes saber que este tipo de discurso proviene de su ego y no de su corazón. Este último sabe, efectivamente, que nunca atraemos una situación o a una persona que no resuene con nosotros. TODO PARTE DEL INTERIOR DE UNO MISMO.

Estas personas creen que rechazando ver a la otra persona o hablar con ella y por lo tanto castigándola, son más libres. En el ejemplo anterior, hemos visto bien que Robert siguió sufriendo con más fuerza a pesar de que había huido a Canadá, para alejarse de su padre. El cordón creado por su odio lo aprisionó tanto que le fue imposible salir. Creyendo que se liberaría de una coacción al cambiar de contexto físico, tuvo que rendirse ante la evidencia de que nada cambió en su vida, al no haber hecho la transformación interior.

Un día, oí a una señora decirme que odiaba tanto a su madrastra que pensaba constantemente en ella y que, incluso, se despertaba por la noche para odiarla. En el momento en el que la conocí, la señora en cuestión estaba sufriendo su tercer cáncer. Al participar en el taller de *Écoute Ton Corps*, rápidamente se dio cuenta de que enseñábamos la reconciliación y el perdón de uno mismo. Al hacerlo, nos dijo con mucha fuerza:

—Nunca podré perdonar a esta horrible mujer, después de todo lo que me ha hecho. Si no me dais otros medios para curarme, no volveré más.

Le indiqué que no estaba obligada a realizar ya este ejercicio, y que incluso sería preferible que se diese más tiempo. En el fondo estaba determinada a no querer reconciliarse con su madrastra, quería que le sugiriéramos otros medios de inmediato. Por lo tanto, la invité a seguir una terapia privada; me respondió que desde hacía años seguía una terapia privada, pero que no había cambiado nada. Nunca volví a ver a esta pobre señora que, obviamente, sufría mucho.

Según mi experiencia, las etapas de reconciliación y de perdón a uno mismo son lo más rápido y eficaz que existe para conseguir disminuir el tamaño del cordón que, con más esfuerzos, termina por romperse en el tiempo y en el espacio. Esta es la verdadera libertad por ambas partes.

Si las personas solamente se dieran cuenta de toda la energía que conlleva mantener este odio, y de esta manera crear este tipo de cordón, se darían más prisa para deshacerlo lo más rápidamente posible a fin de recuperar su energía natural y, así, crear todo lo que quieren en la vida.

Si mantienes este tipo de odio, sabes perfectamente de qué te hablo, ya que muy a menudo te tienes que sentir cansado, sin razón aparente. Y esto es bastante normal. También es posible darse cuenta de que las personas que se enfrentan a una herida de rechazo importante pueden comer una gran cantidad de comida sin que nunca engorden, ya que la energía de la comida intenta compensar todo este gasto necesario para mantener el odio.

Aunque a veces esto lleva varios años, conseguir romper el cordón y por fin encontrar la libertad es una gran victoria. Deseo de todo corazón la experiencia de esta gran felicidad a todo el mundo.

En conclusión, debes saber que el verdadero perdón tiene el poder de restablecer la circulación natural de energía en el cuerpo. Al hacerlo, esta energía te dirige hacia tu plan de vida, ya sea el de vivir o el de morir; lo esencial es que puedas estar en paz contigo mismo, así como atraer una buena vida o un magnífico vuelo hacia el más allá.

Para finalizar este capítulo, te ofrezco el testimonio de Denise, que ha aceptado escribir tras haber realizado todas las etapas del perdón con su madre y consigo misma.

Testimonio de Denise

Queridos lectores:

A petición de Lise Bourbeau, he aceptado compartir con vosotros mi historia y mi recorrido a raíz del descubrimiento de un cáncer de mama en 2012. Gracias a los maravillosos talentos de Lise como terapeuta, pude cambiar en profundidad mi forma de ser y de pensar.

Enfrentada a un diagnóstico de cáncer, sabía que mi cuerpo me lanzaba un mensaje poderoso y que tenía que hacer callar a mi ego, para dejar hablar a mis emociones y, sobre todo, escucharlas sin filtro, con compasión hacia mí misma.

En compañía de Lise, tuve dos revelaciones importantes y determinantes en mi curación del cáncer. La primera me permitió definir los acontecimientos que me causaron la enfermedad, a raíz de una relación conflictiva con mi madre.

La segunda fue una «revelación» y una «liberación» tan poderosas que nunca olvidaré esta increíble sensación física que sentí en el corazón cuando me di cuenta y acepté **con total conciencia** *mi parte de responsabilidad en el conflicto que me oponía a mi madre desde la infancia.*

Desde ese momento, supe que estaba en el camino de la curación no solo física, sino también psicológica y espiritual. Cuando mi mirada se cruzó con la de Lise, comprendí que ella también compartía esta certeza conmigo. Era el 19 de marzo de 2013.

No tenía contacto con mi madre desde hacía cinco años (yo vivo en Quebec y ella en Francia) y no sabía cómo abordar la etapa del perdón con ella. Hablé con la Divinidad y esperé una señal, una oportunidad.

El 21 de marzo —es decir, dos días más tarde—, finalmente recibí la señal que esperaba, el día antes de mi cumpleaños y después de dos años de silencio: ¡un correo de mi madre deseándome un feliz cumpleaños y en el que me pedía saber noticias sobre mí! La puerta hacia la etapa del perdón acababa de abrirse…

Por lo tanto, llamé a mi madre para darle noticias mías e informarle de este diagnóstico de cáncer de mama, cuya existencia ignoraba. Como por arte de magia, ya no sentía en mí ninguna carga emocional negativa hacia ella al hablarle. De hecho, solamente era la confirmación de que mi herida de rechazo ya no me hacía sufrir en esta relación. Esta primera conversación con mi madre duró mucho tiempo.

Así pues, compartí con ella todas las etapas de mi historia después de las del perdón. Esto se hizo con suavidad, escuchando la una a la otra, en la verdad, sin juicios. De repente era muy fácil. Sin aprensión, le hice partícipe de toda mi tristeza, de toda la pena causada por su exigencia de que sus hijos la llamásemos «minina» en lugar de mamá. Sin embargo, sabía que abordaba un tema delicado para ella.

Su escucha, su nueva apertura, me permitieron ser verdadera. Nunca antes había podido hablar con ella de esta manera, y lo más sorprendente para mí es que le hablaba como si la hubiese visto el día anterior. El pasado, los conflictos, ya no tenían lugar en nuestra «nueva» relación.

Después de esta llamada, un profundo sentimiento de paz y amor me llenó. Desde entonces, nos llamamos con frecuencia. Apasionada de la medicina holística, mi madre me da consejos maravillosos que me aplico y que son muy eficaces para mi salud. Hablamos durante horas a corazón abierto, con una bonita complicidad, que nunca antes habíamos logrado. Además, cuando me escribe un correo, firma como mamá, y no como minina, como hacía antes. Encontré a mi madre, que creía que había perdido. Y la quiero tal y como es.

Más allá de la relación con mi madre, este cáncer también me ha permitido encontrar mi autonomía afectiva con mi marido. La herida de rechazo que sufría desde mi infancia me había vuelto dependiente de él afectivamente y también *de algunas de sus propias adicciones. Tenía tanto miedo de perder su amor y de no estar «en la misma onda» que él que «copiaba» parte de sus comportamientos para gustarle.*

Gracias a mi toma de conciencia, durante mi segundo encuentro con Lise, pude establecer las conexiones entre mi herida de rechazo y esta dependencia afectiva. Entendí que tenía que dejarle libre para que sea él mismo sin tratar cambiarlo. Era yo la que tenía que cambiar, respetando mis necesidades fundamentales y modificando la creencia que tenía de perderlo si no actuaba según sus expectativas, o lo que yo creía que eran sus expectativas hacia mí.

Poco a poco, me despegué emocionalmente de mi marido y de los comportamientos «nocivos» asociados a él. Para ello, ¡liberarlo conscientemente me ha ayudado mucho! Al principio hubo varios enfrentamientos entre nosotros, pero se desvanecieron rápidamente. Mi marido también es un «fan» de la enseñanza de Écoute Ton Corps y ha entendido bien lo que está en juego y las razones que me motivaban. Él también realizó un trabajo personal al mismo tiempo que yo, lo que resultó una mejora significativa en sus adicciones. ¡Esto se hizo en unas semanas y estamos más unidos que nunca!

Para mí, el cáncer fue un recorrido de iniciación. Había intelectualizado muchos «conceptos terapéuticos» como el perdón, la liberación, la aceptación, el amor incondicional, etc. Hablaba mucho y de manera positiva, pero todo permanecía en la mente. Gracias al cáncer, tuve la ocasión de «integrarlo» realmente. Lo viví con toda «mi alma», para bien, ya que por fin me autoricé a sentir el rechazo vivido con mi madre. Esto fue doloroso, pero muy liberador. Entendí el mensaje y nunca lo olvidaré.

Sigo aprendiendo, practicando y creando conjuntamente con la Divinidad en mi persona y a mi alrededor, en armonía, unidad y con mucha compasión cuando aún me ocurre, a veces, que me aparto de mi camino de amor a mí misma.

Capítulo siete

LA IMPORTANCIA DE TOMAR UNA DECISIÓN

En el capítulo anterior, te relataba la importancia del perdón a uno mismo para iniciar la curación, tanto física como psicológica. Sin embargo, existe otro factor igualmente importante: el de QUERER VIVIR. En este caso, no es suficiente «no querer morir» si formas parte de aquellos que sufren de cáncer o tienen miedo a una recaída.

Cuántas personas realizan una serie de acciones para no morir tras el anuncio de un cáncer, como cambiar su alimentación, su estilo de vida, dejar de fumar, de beber, acostarse más pronto, hacer más ejercicio físico, consultar curanderos, etc. Si todas estas acciones se realizan con la finalidad de NO morir y de YA NO tener cáncer, la intención no es la correcta.

Acuérdate de que el subconsciente solo funciona con las imágenes que nuestros pensamientos o nuestras palabras despiertan. Todas las frases dichas o pensadas de forma negativa, con los NO, contribuyen a aumentar lo que no quieres que ocurra. En lugar de verte curado, tu subconsciente solo ve imágenes que tienen una conexión con las palabras que utilizas —aunque sea lo que no quieres—, como «morir» y «cáncer».

Si te enteras de que padeces una enfermedad mortal, en lugar de pensar «no quiero morir» (recuerda lo que acabo de explicar sobre las frases con negación), debes tomar la decisión de vivir. Tu *YO DECIDO VIVIR, QUIERO VIVIR* tiene que ser más fuerte, más poderoso que tu miedo a morir.

Para ser capaz de tomar este tipo de decisión, primero tienes que tener una buena razón para vivir. ¿Qué quieres para ti en esta vida? La siguiente pregunta puede ayudarte definitivamente a descubrirlo.

Si todas las circunstancias fueran perfectas, es decir, que si tuvieras el tiempo, la salud y el dinero necesarios y las personas de tu alrededor aceptaran tus deseos, ¿qué querrías?

Te sugiero que te sientes en un lugar tranquilo y que dediques un tiempo a anotar todos los deseos posibles. Después, añade al lado de cada uno de ellos lo que estos deseos podrían ayudarte a SER en tu vida. Por ejemplo: «Quiero dejar de trabajar para dedicarme a la pintura, quiero desarrollar mis dotes artísticas». Este deseo puede ayudarte especialmente a *ser entusiasta, vital, feliz, creativo,* etc. Si tienes dificultades para descubrir el «ser», puedes utilizar la siguiente frase interrogativa: «¿Cómo me ayuda a sentirme este deseo?». Al añadir lo que un deseo te ayuda a «ser», descubres, de esta manera, la necesidad de tu alma.

La siguiente etapa es la de anotar el grado de cada una de estas necesidades en una escala del uno al diez, siendo diez una manifestación importante. Es interesante descubrir o constatar que el miedo a morir a veces es necesario para acordarse de todos los deseos y necesidades que con el tiempo hemos dejado de lado. Por lo tanto, no te olvides de decir «gracias» a este miedo por haberte ayudado a ser consciente.

EL DERECHO A VIVIR PARA UNO MISMO

Si dices: «Quiero vivir para ver a mi hija de cuatro años crecer, casarse y tener hijos», porque tu hija es más importante que tú en ese momento, acoge este deseo. Sin embargo, te recuerdo que estás y vives en esta Tierra únicamente para ti. No obstante, este deseo es muy legítimo y puede, por otra parte, darte fuerza para vivir más tiempo. Pero para asegurarte de que realmente transformas o aumentas la fuerza de tu sistema inmunitario, te sugiero que vayas más lejos en este tipo de deseo. Anota y siente bien en ti lo que este deseo te hace vivir. Al manifestarse, ¿de qué manera te ayuda a ser y a sentirte?

En primer lugar, no te preocupes: tienes derecho a vivir para ti y este tendría que ser tu objetivo principal en la vida. No es egoísta pensar de esta manera, es autoestima. Aprovecho para dar la definición de la palabra «egoísta», algo que tengo que hacer en cada uno de mis libros, en mis conferencias y en mis talleres. ¿Por qué? Porque la mayoría de las personas tienen dificultades para pensar en ellas antes de pensar en los demás, ya que creen que hacerlo es egoísmo. Por otra parte, he comprobado que esta misma creencia se transmite en todos los países en los que hasta ahora he enseñado. ¡Qué idea tan equivocada se ha hecho de una palabra como esta a lo largo de muchas vidas!

> Ser egoísta es querer que otro se ocupe de tus necesidades antes que de las suyas. Amarte es ocuparte de tus necesidades antes que las de los demás.

Como puedes comprobar, querer vivir para ti es todo lo contrario al egoísmo. De hecho, es una verdadera expresión de amor por ti. Cuando viajo en avión, los auxiliares de vuelo siempre advierten a los pasajeros que se ocupen de su propia máscara de oxígeno antes de ayudar a otra persona (un niño, su cónyuge, etc.). Han comprendido claramente que *la caridad bien entendida empieza por uno mismo*.

Es muy probable que si eres de los que se creen responsables de la felicidad de los demás, concibas que esta idea es muy egoísta. Te aseguro que no lo es. Cada alma está en esta Tierra para su propia evolución y no para la de los demás. Las personas que rodean a cada alma a lo largo de su vida están ahí para ayudarla a ser consciente del trabajo que debe realizar para su propia evolución.

Por esta razón nadie debe convertirse en tu motivación para aferrarte a la vida; de hecho, este tipo de razonamiento suele traer un buen número de emociones negativas a posteriori. Por ejemplo, me es fácil imaginarme lo que podría ocurrirle a la madre que ha decidido vivir solo por su hija, si esta elige un plan de vida muy diferente al que su madre espera.

La madre seguramente se dirá, y le dirá a su hija o a otras personas: «He luchado para seguir viviendo por ella, y así es como me recompensa, como me considera. Es una ingrata».

Sin embargo, esta gran decisión de vivir te dará la fuerza para efectuar cambios felices en tu vida, aunque esto te asuste. A pesar de una gran voluntad de vivir, habrá de todos modos miedos que, probablemente, vendrán a atacarte. Cuando estos se manifiesten, cuida de ellos, ya que son humanos y muy normales. Indícales a las vocecitas que es normal que traten de darte miedo creyendo que te ayudan.

De hecho, están convencidas de que tal vez sería preferible que murieses en lugar de seguir sufriendo, a causa del rechazo y de la falta de amor por ti que sientes. Simplemente diles que has decidido vivir y que estás preparado para asumir las consecuencias de tu decisión.

Debes saber que estos miedos también te ayudan a desarrollar tu valor para pasar a la acción. Ten en cuenta que las células mutantes nocivas que circulan en ti están presentes en tu cuerpo para atraer tu atención sobre el hecho de que es tu alma la que quiere mutar. No te preocupes, ella está preparada para este cambio.

Además, este gran deseo de vivir te ayudará a encontrar un segundo aliento. Este es un término utilizado en atletismo para designar la reacción que se produce en el organismo cuando el atleta cree haber llegado al final de sus fuerzas y de repente siente que recobra toda su energía. Este segundo aliento es el que le permite alcanzar su objetivo e incluso superar todas sus marcas. Este tipo de fenómeno no se puede explicar científicamente, ya que esa nueva fuerza proviene de más allá de nuestras capacidades físicas, emocionales y mentales. Proviene de nuestro gran poder interior. Esto me hace pensar en el ejemplo de la madre que levanta un camión para liberar la pierna de su hijo que está atrapada debajo.

Esta gran decisión de vivir explica, por otra parte, por qué tantas personas, después de haber vivido muchos años en campos de concentración o en prisiones lamentables, consiguen salir, y por qué otras, después de un naufragio, sobreviven muchos días aferradas a un trozo de madera. A estas historias a menudo se las considera como verdaderos milagros.

Se dice que *mientras hay vida hay esperanza*. Se puede comparar la esperanza con la luz a lo lejos, al final del túnel. El que mantiene esta esperanza no deja de mirar a la luz. Mira hacia delante. De lo contrario, se arriesga a permanecer atrapado en el pasado, a olvidar la luz, la vida que espera a la salida del túnel.

Cuando se sabe que la desesperación acelera la proliferación de las células nocivas al triple —según las estadísticas—, esto nos da una buena idea del poder que la esperanza puede despertar. En los dos casos, es nuestro poder interior el que está en funcionamiento, afectado por la decisión de vivir o no.

> La pregunta que tienes que plantearte es: «¿Quiero utilizar mi poder para vivir o para morir?».

LA IMPORTANCIA DE LA ACEPTACIÓN

Vuelvo otra vez sobre esta importancia para asegurarte que estás más en lo cierto en cuanto a la decisión que has tomado de vivir. ¿Aceptar qué? Aceptar que es tu miedo al rechazo el que ha atraído este cáncer. Cuando digo que la enfermedad es una expresión de lo que te ocurre, no quiere decir que seas el culpable de haberla creado. Sobre todo quiero que sepas que si tus pensamientos tienen el poder de bloquear la energía que circula en tu cuerpo, también tienen el poder de volver a hacer circular esa energía, lo cual tendrá el efecto de invertir el proceso de la enfermedad para empezar el proceso de la curación. Al asumir la responsabilidad de tu enfermedad, también vuelves a contactar con tu gran poder de crear.

Ten en cuenta que el cáncer no es en absoluto un castigo de DIOS, sino más bien al contrario. Es la indicación de que te has olvidado de tu DIOS interior. Has olvidado:

- que ser DIOS significa que estás sobre esta Tierra para aprender a amarte completa e incondicionalmente;
- que tu DIOS interior quiere atraer tu atención sobre el hecho de que no te amas;
- que todo lo que vives no son más que diferentes experiencias para ser consciente de lo que te queda por hacer;
- que no eres una persona inútil, que tienes derecho a existir;
- que aunque hayas sufrido hasta el punto de odiar, ese odio es solo una indicación de tu gran necesidad de amor.

DIOS es una energía que se experimenta a través de todo lo que vive. No es una entidad que se divierte castigando o recompensando a quien sea. Todos representamos esta gran energía divina que solo quiere vivir mediante la aceptación de aprender a través de nuestras experiencias. De esta forma conseguiremos vivir de una manera más inteligente, más beneficiosa para nosotros.

LOS MILAGROS

Esta aceptación cambia, entre otras cosas, la vida de cualquier persona, atrayendo milagros de todo tipo. He sido testigo de tantos milagros en mi vida que para mí es fácil afirmar que es la aceptación de uno mismo, el amor por uno mismo y las decisiones que tomamos lo que nos cura. En *Écoute Ton Corps*, hemos acumulado miles de testimonios sobre tal efecto, desde un simple malestar hasta una enfermedad más importante, tanto física como mental.

¿QUÉ ES UN MILAGRO? Según el diccionario, un milagro designa *un hecho extraordinario, positivo, no explicable científicamente*. Se ve más bien como un fenómeno sobrenatural, atribuido a un poder divino y realizado ya sea directamente o a través de un servidor de esa divinidad.

Un milagro siempre se vive después de la fuerte decisión de una persona, lo que le ayuda a tomar contacto con su poder divino. Un milagro nunca proviene del exterior, sino de forma clara y evidente del interior de uno mismo. Solo quienes rechazan aceptar su propio poder divino atribuirán el milagro a una intervención celestial.

A menudo se habla de milagros en lo que se refiere al cuerpo físico, pero también existen milagros en todos los niveles. Por ejemplo, un joven que llega a un nuevo país y dos semanas después ya habla el idioma con fluidez.

En lo que a mí concierne, un milagro designa un acontecimiento que llega súbitamente, en lugar de tardar meses o años en producirse. Este fenómeno solo puede ocurrir cuando la persona tiene la certeza, una fe irrevocable. La historia que he mencionado anteriormente de una de mis tías, que se moría de un cáncer generalizado y que se curó, es un buen ejemplo de ello. Guardaba cama desde que salió del hospital, pero aprovechó la ausencia de su marido para levantarse, vestirse y tomar el autobús para dirigirse a Sainte-Anne de Beaupré, un lugar de peregrinación muy conocido en Quebec. Le dejó una nota diciéndole que no la buscase, que se había ido a hacer una novena.

Volvió nueve días más tarde y empezó a mejorar. Seis meses después, tras los exámenes prescritos por su médico, se pudo confirmar que no había ningún rastro de cáncer en su cuerpo. El simple hecho de ir sola a Quebec en autobús, un trayecto de varias horas, ya era un milagro en sí. De hecho, mi tía había decidido vivir realmente.

Al igual que muchas otras personas, tal vez pienses que no es ella la que realizó el milagro, sino más bien la intervención de un poder divino. De acuerdo. Pero después de haber tomado conciencia de que todos nosotros somos esta energía divina, es fácil persuadirse de que todos tenemos el suficiente poder para curarnos. Todo depende de si entramos o no en contacto con nuestro poder.

Otro tipo de milagro del que a menudo he sido testigo a lo largo de los talleres o de las entrevistas privadas es que al responder a una pregunta, la persona capta algo muy importante después de abrir su corazón. De hecho, todos los métodos de *Écoute Ton Corps* están deliberadamente centrados en preguntas. Al hacerlo, es responsabilidad del cliente encontrar él mismo sus respuestas, lo que es mucho más eficaz que si nosotros le indicamos la causa de su problema. De hecho, este método se presenta más como una experiencia que como un método didáctico.

Para ponerlo totalmente en práctica, se necesita una VERDADERA escucha por parte de la persona que ayuda, es decir, escuchar atentamente las respuestas del cliente y no fiarse de la voz de su propio pensamiento o de su propia deducción mental, ni siquiera buscar en su memoria qué otra pregunta podría plantearse. Todo tiene que hacerse de manera intuitiva. En resumen, cada pregunta tiene que venir de manera natural, después de la respuesta a la pregunta anterior.

Llamo a estas experiencias *momentos de gracia*, tanto para el cliente como para el animador o el terapeuta. En mi caso, todo mi cuerpo se estremece, así como el interior de mi cabeza, y las lágrimas me vienen a menudo a los ojos, cuando siento que la persona acaba de tomar una decisión muy importante, aunque aún no sea consciente. En ese momento, siempre siento que esta persona ha realizado un gran giro en su vida, que acepta lo que ha sido, que se abre para dirigirse hacia lo que quiere en el futuro y que la curación está en camino.

He sido testigo de curaciones espontáneas algunos minutos después de estos momentos de gracia. En esta etapa, la persona afirma que ya no le duele. Cuando tengo la posibilidad de verla más tarde, afirma que el problema nunca ha vuelto. En estos casos, le recomiendo que vuelva a ver a su médico para confirmar la curación.

Por el contrario, puede que la curación solamente sea mental, que la persona se haya curado por la fuerza de su voluntad y que no haya pasado realmente por la aceptación y el perdón a sí misma. Si este es el caso, hay muchas probabilidades de que el problema de salud vuelva a aparecer de nuevo. Esto se produce frecuentemente en diferentes formas de cáncer. ¿Podría ser que por esta razón muchos médicos no quieren adelantarse a decir que la persona está curada, prefiriendo afirmar que solo está en remisión? La manera en que nos sentimos emocionalmente es el único indicador real para saber con certeza que estamos curados, ya que solo sanamos por completo cuando hemos superado, en el plano del alma, todas las etapas del trabajo.

Pero ¿cómo explicar este tipo de milagros? ¿Podría ser que, teniendo en cuenta que todos nuestros sentimientos y emociones se transmiten en nuestro sistema por la sangre, desde que experimentamos un cambio importante en lo que sentimos, también se produce un cambio similar en la calidad de nuestra sangre? Estoy convencida de que el amor genera mucho magnetismo, mucho poder de curación en nuestro flujo sanguíneo. Todos nuestros recuerdos celulares también se transmiten por la sangre. A medida que hagamos las paces con los demás, así como con nosotros mismos, modificamos para mejor nuestra memoria. Tenemos que ser conscientes de que aquellos a quienes odiamos no son lo que habíamos creído.

Cuántas veces he escuchado a personas decirme que ahora que ven a sus padres con los ojos del corazón, se dan cuenta de que los han querido mucho más de lo que se creían. Incluso empiezan a recordar escenas del pasado que confirman esta nueva percepción.

> El momento presente cambia nuestro pasado y nuestro futuro en el mismo grado.

Por otra parte, creo que no tiene sentido intentar comprender el fenómeno de la curación y mucho menos tratar de obtener pruebas. ¿Por qué? Porque la mente no puede comprender todo lo que es espiritual, todo lo que proviene de más allá de la dimensión mental. Esto me hace pensar en una pequeña historia que escuché hace varios años.

Un gran grupo de leprosos vivía en una isla. Un día, atracó un barco y desembarcó un hombre. Este hombre se hizo cargo de reagrupar a todos los leprosos, y les anunció que había descubierto un remedio que tenía el poder de curarlos. Sacó una caja llena de botellas y les explicó en qué consistía ese medicamento y los beneficios que procuraba. A continuación añadió:

—La única condición para que os curéis es que os acordéis EXACTAMENTE de cómo tomar estas pociones y, sobre todo, que no incumpláis el protocolo.

Así que el hombre les indicó que tenían que tomar una cierta cantidad los tres primeros días, después hacer una pausa, volver a empezar durante dos días y así sucesivamente, hasta que hubiesen terminado. Les repitió muchas veces las instrucciones, ya que nadie tenía lo necesario para escribir.

El hombre se marchó otra vez hacia el barco y el grupo de leprosos empezó a tomar el medicamento. Sin embargo, desde el segundo día, cada uno de ellos empezó a dudar de las intenciones del hombre y a plantearse muchas preguntas, obstinándose, entre otras cosas, sobre lo que había asegurado en cuanto al contenido del medicamento y de sus beneficios. Se preguntaron, sobre todo, si el hombre era realmente médico y de dónde venía. Querían comprender tantas cosas que terminaron por olvidar la manera en la que tenían que tomar el medicamento. Te imaginarás cómo terminó todo: nadie se curó.

Todo esto es para indicarte que aunque no entiendas cómo se ha podido producir un milagro, acepta el hecho por el momento. Esta comprensión se podrá lograr un día, si tu alma expresa la necesidad.

Un falso medio para escuchar sus necesidades

Muchos enfermos creen inconscientemente que el cáncer les ayudará a prestar más atención a sus propias necesidades. ¿Cómo es esto posible? Hasta ahora hemos visto que el perfil del enfermo de cáncer es el de una persona que siempre prioriza las necesidades ajenas por encima de las propias. Por lo tanto, no es tan raro que, de algún modo, crea que el cáncer ha llegado para darle el permiso que él no se atrevía a darse cuando estaba sano.

Tienes que admitir que todos recibimos más atenciones cuando estamos enfermos. Puede, entre otras cosas, permitirse descansar, decir no a ciertas peticiones, aunque estas son muy poco comunes para una persona enferma. Además, tiene permiso para trabajar menos e incluso para ausentarse de su trabajo al tiempo que recibe una compensación. Si es una madre de familia, son los demás los que se ocupan de ella, que es lo contrario de lo que ocurría antes.

Para saber si este es tu caso, comprueba tu reacción si alguien se niega a ocuparse de ti cuando lo necesitas. ¿Crees que por que tienes un cáncer u otra enfermedad, tus seres queridos tienen que olvidar sus propias necesidades para ocuparse únicamente de las tuyas? ¿Crees que ahora les toca a ellos hacer lo que siempre tú has hecho? Este tipo de actitud no hace más que animar la irresponsabilidad y la culpabilidad.

Si te reconoces en este tipo de situación, tienes que saber que es tu ego el que trata de jugarte una mala pasada, de atraparte. En tal caso, contribuyes a desarrollar un síndrome de víctima y, en este sentido, el precio que hay que pagar para conseguir escuchar tus propias necesidades es demasiado elevado. Aquí, el mensaje que se transmite es más bien el de aprender a darte todos estos permisos sin estar enfermo. Solo tú puedes escuchar tus verdaderas necesidades y no los demás. De no ser así, querrás seguir enfermo, haciendo que el cáncer tarde mucho tiempo en desaparecer. Y aunque terminase por curarse, te arriesgas a atraer una recaída u otra enfermedad.

EL DERECHO A QUERER MORIR

Existen personas que están convencidas de que ya no tienen la suficiente fuerza para vivir y que desean, a pesar de todo, terminar con su vida. A menudo es el caso de los cánceres que se agravan muy rápidamente. Como aquí es cuestión de TU vida, de TU cuerpo, de TU decisión, por supuesto, tienes derecho a querer morir, aunque sepas que tus seres queridos inevitablemente se verán afectados. No tienes que rendirle cuentas a nadie, tú eres la única persona responsable de tu vida.

Te recuerdo que la reacción de tus seres queridos es un buen indicador de hasta qué punto aceptas tu propia decisión. Si te sientes culpable porque crees que al elegir morir estás eligiendo también abandonar a los tuyos, sin duda estos no aceptarán tu elección. Te acusarán y querrán convencerte de lo contrario con la misma intensidad que tú te juzgas y te acusas.

Te sugiero que elabores una lista —como para querer vivir— incluyendo todas las buenas razones que te llevan a querer morir. Las personas que atraen un cáncer a su vida tienen, al parecer, el deseo inconsciente de morir. Es como si creyeran que este tipo de solución pudiera ayudarlas a hacer frente a una situación demasiado difícil. He dicho *un deseo inconsciente*, y lo es para la mayoría, pero no para todos. De hecho, muchas de estas personas me han confesado que ya habían pensado en la muerte en algún momento de su vida.

Una vez que hayas completado la lista, puedes compartir tu decisión con tus seres queridos y, sobre todo, tener el derecho a tomar esta decisión, si consideras que para ti es preferible morir. Esto no significa necesariamente que se vaya a producir, ya que hay muchas cosas sorprendentes que pueden ocurrir, una vez que se ha alcanzado la aceptación. Recordemos que el universo conoce nuestras necesidades incluso más que nosotros mismos. A veces creemos que nuestra decisión viene realmente de lo más profundo de nosotros, pero es más bien nuestro ego el que está consiguiendo influenciarnos a nuestras espaldas.

Por esto es por lo que sugiero a todo el mundo elaborar una lista con las razones que nos llevan a querer vivir, así como otra con las que nos empujan a querer morir. Esta manera de actuar te permitirá asegurarte de que tu decisión final proviene realmente de ti.

NO ESPERAR A ESTAR BIEN PARA VIVIR

Cuando una persona me anuncia que tiene un cáncer, y más adelante compruebo cómo se siente y cuál es su decisión, a menudo me dice estar muy decidida a vivir, y que tan pronto como este bien, hará esto, hará aquello, etc. Entonces le recuerdo que su decisión aún no está completamente anclada en ella. Tiene que DECIDIR VIVIR AHORA. Vivir como si no tuviera esta espada de Damocles sobre su cabeza.

Otros siguen viviendo del mismo modo, sin prestar realmente atención a sus necesidades, incluso cuando su médico les asegura que el cáncer ha desaparecido *por el momento*. Siguen viviendo con miedo a la palabra «recaída», que asocian con la posible llegada de la muerte. Al haber oído que un cáncer que reaparece suele volver con más fuerza, viven con este miedo constante en su interior.

Si alguna vez sientes este miedo, acógelo, no lo rechaces, dile que entiendes que cree que te ayuda, pero que por tu parte has decidido vivir y que estás preparado para asumir las consecuencias, aunque esto no siempre vaya como quieres y aunque tu herida de rechazo aún no esté curada. Dedica tiempo a explicarle las razones por las que quieres vivir. Puede ser que tu ego te diga que no lo conseguirás nunca, pero acuérdate de que solo se basa en aquello que ha aprendido y vivido en el pasado.

Capítulo ocho

CÓMO MANEJAR EL CÁNCER DE UN SER QUERIDO

Algunas personas, ante la noticia de que un ser querido padece cáncer, sienten el deber personal de mostrarse fuertes y hacerse cargo de la situación. Están tan unidas al enfermo que viven con angustia la idea de perderlo y les resulta muy difícil enfrentar la posibilidad de la muerte.

El cáncer más difícil de aceptar, por lo general, es el de los niños. Por esta razón, oigo frases como las siguientes:

- No es justo, ¡acaba de empezar a vivir!
- ¿Por qué mi hijo ha muerto de cáncer mientras que mi abuelo, que es ya muy mayor, se encuentra perfectamente? ¿Quién decide estas cosas?
- ¿Por qué mi hijo adolescente padece cáncer cuando tenía tantos proyectos para el futuro? ¿Por qué esto no les ocurre a los adolescentes que deambulan por las calles, que se drogan, que no parece que tengan ningún objetivo ante ellos?

- No entiendo cómo puedes decir que es la enfermedad de las emociones reprimidas, cuando mi hijo adolescente era la misma imagen de la felicidad, con muchas ganas de vivir. Era el alma de la familia y era muy expresivo.

- ¿Cómo puedes decir que la herida del rechazo es la causa de un cáncer, cuando mi hijo fue muy deseado?

La herida del rechazo no tiene nada que ver con el hecho de ser un niño deseado o no. En el ejemplo de Denise que he utilizado para explicar la reconciliación y el perdón a sí misma, era la mayor y una niña muy deseada. Esto no le impidió sentirse rechazada, como cuando su madre quería que la llamaran *minina*, o cuando la controlaba continuamente y Denise nunca se sentía libre.

Sé perfectamente que su madre estaba convencida de que era una buena madre, que creía sinceramente que ser de esa manera con su hija era una prueba de amor. También creía que el hecho de que sus tres hijos la llamasen *minina* haría que la consideraran más como una amiga y no como una madre. Es muy probable que ella misma hubiese querido que su propia madre fuese su amiga.

¿Por qué sentirse tan rechazado? Porque nacemos con esta herida que cada uno de nosotros vive en diferentes grados. Además, cuando construimos un buen caparazón para no sentir este rechazo (el caparazón de la herida del rechazo, conocido como la máscara del *huidizo*), nos aseguramos que de esta manera no sentimos nada, lo reprimimos todo, lo que contribuye más a vivirlo todo en el aislamiento, uno de los factores comunes a todos los cánceres.

El otro factor importante, según mis observaciones, es la acumulación de varias vidas. ¿Cómo puedo tener esta certeza? Después de centenares de regresiones en privado —hasta el estado fetal y a vidas anteriores— con todo tipo de personas, he podido comprobar la influencia en esta vida presente de cuestiones sin resolver de nuestras vidas pasadas. De hecho, llegamos a la Tierra con un plan de vida, es decir, con objetivos muy precisos para ayudar a nuestra alma a volver a la luz.

Podemos comparar todas las vidas de un alma con todos los días de una vida en la Tierra. Por ejemplo, si un ser querido es muy violento contigo y le has gritado furioso que no quieres volver a verlo nunca más, al día siguiente no estará todo resuelto. Durante todos los días que seguirán, este problema continuará viviendo en ti y te hará sentir tan mal que un día querrás hacer algo para resolverlo con el fin de sentirte mejor. El dolor vivido toma cada vez más lugar aunque no seas consciente. Este dolor crea un bloqueo de energía en ti y termina por manifestarse en una enfermedad.

Como ya he mencionado algunas veces en este libro, podemos vivir en la paz y la serenidad solamente cuando asumamos la responsabilidad de todo lo que nos ocurre y aceptemos una situación o a una persona totalmente, sin juzgarla.

El individuo con mayor riesgo de cáncer es el que se encuentra con un padre del mismo sexo con el que ya ha vivido otras vidas, pero con el que no ha conseguido aceptarse, ni aceptar al otro. Cualquiera que sea la actitud de este padre, el hijo, inevitablemente, se sentirá rechazado. Este reconoce esta alma desde el nacimiento, pero de manera inconsciente. Durante una regresión, es muy frecuente oír a la persona decir a la vista de su padre del mismo sexo: «¡Ah no, otra vez él o ella no!». Pero todo esto se olvida rápido. No somos tan sólidos psicológicamente para acordarnos de nuestras vidas pasadas, así como de la mayoría de nuestros recuerdos de la infancia. En realidad, seríamos incapaces de manejar el sufrimiento profundo que nos provocaría evocar el rechazo.

Entonces, ¿por qué tendría el cáncer que atacar a un niño muy pequeño? Con la Era de Acuario, actualmente todo está acelerado. ¿Podría ser, por tanto, que el alma de este niño solo quiera resolver algo en particular y que, tan pronto como eso esté hecho, elige un medio para marcharse? A menudo he observado este fenómeno en los niños que padecen leucemia. Cuántos padres han compartido conmigo que su hijo parecía muy sereno, hablaba de su muerte fácilmente, aceptándolo y ayudando al resto de la familia a aceptarlo.

Por otra parte, muchas familias de niños con leucemia han recibido grandes lecciones de vida gracias a esta experiencia. Por el contrario, hay otras que siguen llorando la injusticia durante muchos años, incapaces de aceptar la muerte de su hijo. Estas últimas aún no se han dado cuenta de que nadie pertenece a nadie, de que somos atraídos para formar parte de la misma familia porque todos nos necesitamos los unos a los otros.

Acuérdate de que estás aquí PARA TI y que todas las personas que te rodean solo están ahí para ayudarte a conocerte, así como para practicar el amor incondicional.

¿MIEDO O ALIVIO?

Sé que es bastante normal sentir un *shock* ante el anuncio del cáncer en uno de nuestros seres queridos, sobre todo si esa persona no estaba enferma, sino llena de energía, con proyectos de futuro. Tan pronto como oímos la palabra «CÁNCER», oímos «TUMOR = TE MUERES». A menudo es inconsciente, pero la palabra cáncer puede resultar letal, debido precisamente a esta reacción de miedo.

> Acuérdate de que la mayoría de las personas no mueren de cáncer, sino más bien a causa de su reacción a esta enfermedad y a los numerosos miedos que provoca la palabra «CÁNCER».

Lo que te sugiero es que dediques cierto tiempo después del *shock* inicial a comprobar lo que vives y cuáles son tus miedos, qué temes que te pueda ocurrir a ti ante el anuncio del cáncer de un ser querido. Asegúrate de anotarlos bien, ya que te recuerdo que tu ego te hace olvidar rápidamente esta toma de conciencia. Después, concédete el derecho a vivir esos miedos. Sería inhumano tratar de hacerte creer que no tienes miedo. Permítete sentirlos en tu cuerpo y envuelve en luz blanca los lugares donde están situados.

También es posible que si la persona que padece cáncer es anciana, está enferma y ya no tiene razones para vivir, sientas alivio ante este anuncio, en lugar de miedo. Encuentras natural que se marche, ya sea a causa del cáncer o de alguna otra enfermedad. Este alivio a menudo también es por uno mismo, ya que la situación de esta persona demandaba todo nuestro tiempo y nuestra energía para ocuparnos de ella. Al mismo tiempo, estamos felices de saber que por fin dejará de sufrir, de vegetar en la Tierra, y que finalmente podrá volver al mundo del alma para encontrarse con el resto de su familia, que la espera.

Dedica un tiempo también a aceptar y vivir este alivio; no es egoísmo, es amor por ti y por la otra persona. Siente este alivio en tu cuerpo y llena de luz blanca el lugar donde se sitúa.

EL MIEDO A LA MUERTE

Un factor importante que impide gestionar bien el anuncio de una enfermedad que podría ser mortal para un ser querido es el miedo a la muerte, que es muy común. Aprovecho este capítulo para dar un significado a la muerte que podría serte útil si tienes este tipo de miedo.

¿QUÉ ES LA MUERTE? Según el diccionario, la muerte significa el cese completo y definitivo de la vida física. Representa el ciclo natural de todos los seres que viven en el planeta.

En los humanos, la muerte se define como el cese de las funciones del cuerpo físico. La medicina la considera como un fracaso; los familiares del fallecido, como un drama, una desgracia, un desastre, o incluso una tragedia; el alma la define como un alivio.

En realidad, la muerte nunca se revela como un fin, sino siempre como una continuación en otro mundo. En lugar de una puerta que se cierra, es otra la que se abre. Tomemos el ejemplo de un árbol que muere. Su energía no muere, sino que continúa alimentando al suelo: se convierte de forma clara y evidente en fertilizante vivo. Aquel que entiende que la caída de las flores del manzano no representa un acontecimiento triste, sino más bien una señal de que el manzano se prepara para producir frutos, comprende la vida y el principio de la muerte.

Es imposible destruir la vida. El cuerpo físico del ser humano se disuelve, alimenta la tierra, mientras que su alma vuelve al mundo del alma, su verdadero hogar en el mundo astral, con el fin de prepararse para nuevas experiencias. Por esta razón se dice que el alma es inmortal. Por lo tanto, tenemos que considerar el nacimiento y la muerte como un pasaje y no como un principio y un fin.

Sin embargo, no deja de ser cierto que es humano vivir tristeza o miedos cuando un ser querido fallece. El dolor proviene de la inseguridad conectada a lo desconocido y al grado de apego a esta persona. En esos momentos, es legítimo sentir un vacío o un sentimiento de carencia, de impotencia, de ira, de injusticia o, a veces, incluso, de abandono, conectado a esta inseguridad. No obstante, tenemos que saber que nadie posee a nadie. Aquellos a los que les afecta demasiado la muerte de un ser querido han de aprender a soltar.

Para la persona fallecida, independientemente de la edad y la manera en que se presenta la muerte, es la señal de que había completado su camino en el contexto que le era propio. Si su muerte no es aceptada por las personas que la rodean, esto indica, por lo general, que la fallecida no acepta su propia muerte.

La aceptación se convierte en algo absolutamente necesario para todos, tanto para el difunto como para los vivos, a fin de que puedan pasar a nuevas experiencias. La gente que teme a la propia muerte o que tiene grandes dificultades para aceptar la de un ser querido, normalmente es reacia a aceptar cambios en su vida. Además, cuando una persona se libera del miedo a la muerte, se libera igualmente de muchos otros miedos.

La vida consiste en una continua resurrección. Morimos constantemente para que otra cosa renazca, al igual que nuestras células mueren y renacen. Para aceptar con más facilidad la muerte, basta con hablar con alguien que haya vivido la experiencia de la muerte clínica durante unos segundos o unos minutos. La mayoría afirman que entran en una luz brillante llena de un amor infinito y que se sienten muy bien. Ya no tienen miedo de morir después de una experiencia como esta. Es tranquilizador saber que esto representa un momento glorioso para el alma que vuelve a su casa.

AYUDAR A LA PERSONA QUE PADECE CÁNCER

Sé que la reacción más natural es tratar de ayudar al ser querido que enferma gravemente y es normal que nos rebelemos ante la idea de una muerte prematura. Pero ¿cómo ayudar? ¿Te sientes torpe en una situación como esta?

Lo primero que tienes que hacer es preguntarle a la persona enferma si necesita ayuda, apoyo por tu parte. Si dice que *no* con firmeza, no insistas, pero hazle saber que si cambia de idea, siempre estarás disponible. Al estar tan acostumbrada a vivirlo todo de manera aislada y a intentar creer que no sufre, es muy probable que esta persona quiera seguir viviendo esta situación sola.

Por esta razón te propongo volver a la carga más tarde, pero siempre respetando su deseo. Sobre todo, no te ofendas por su rechazo. **No dice que no a lo que eres, sino solamente a la ayuda que le ofreces.** Hay muchas posibilidades de que acepte tu ayuda si siente que tu intención es sincera y que no tienes expectativas.

También puedes ofrecerte a acompañarla cuando vaya al médico, ya que es posible que sea de aquellos que ocultan lo que se les dice para no tener que enfrentarse a la realidad. Por lo tanto, es conveniente que otra persona la acompañe para anotar con cuidado las instrucciones del médico.

Cuando la persona manifiesta el deseo de dejarse ayudar, las siguientes son algunas sugerencias que puedes utilizar, solamente si te sientes capaz de hacerlo:

- Compartir con ella lo que has experimentado ante el anuncio de este cáncer, incluido el miedo a lo que te pudiera pasar a ti si alguna vez llegara a morir.
- Preguntarle cómo ha vivido este anuncio, lo que pasó por su cabeza, lo que sintió en su cuerpo, cuáles son sus miedos respecto a la posibilidad de morir.
- Comprobar si se siente bien ante la idea de hablar de las posibilidades de que muera de cáncer.

Si acepta, podrías plantearle algunas de estas preguntas:

- ¿Cómo te sientes ante la idea de morir?
- ¿Tienes miedo por alguno de tus seres queridos? Y si es así, ¿de qué tienes más miedo?
- ¿Cómo te hace sentir el hecho de pensar en estos miedos?
- ¿Hay personas que te será más difícil dejar? Y si es así, ¿por qué?

- ¿Te arrepientes de la manera en la que has vivido tu vida?

- ¿Hay alguna cosa que realmente querrías hacer?

- ¿Tienes miedo de haber fallado en un ámbito determinado?

- ¿Hay personas con las que querrías hablar antes de abandonar este mundo?

- ¿Crees en otra vida después de la muerte? ¿Crees en Dios?

- SI DICE QUE NO, puedes preguntarle: ¿Qué pasa después de la muerte, según tú?

- ¿De dónde viene tu concepción de la muerte? ¿Estás cómodo con ella?

- ¿Ya has considerado la posibilidad de que pueda haber otra concepción de la muerte?

- ¿Te gustaría conocer otras concepciones de la vida después de la muerte? (Para conocer más, te sugiero mi libro *Arissiel, la vie après la mort*, así como el CD de una conferencia sobre este tema).

- SI DICE QUE SÍ al tema de la vida después de la muerte: Según tu opinión, ¿qué ocurre cuando llegas al mundo del alma?

- ¿Crees que Dios está decepcionado contigo por algo? En caso afirmativo, ¿por qué?

- Y ahora que hemos dado una vuelta por una posible muerte, hablemos de la vida. ¿Quieres vivir a cualquier precio? Si es así, ¿por qué? ¿Para qué?

Es importante respetar mucho las respuestas de la otra persona, sean cuales sean y, sobre todo, no intentar hacerle cambiar de idea. Es su cuerpo, su vida y su decisión de vivir o no. Si no quiere responder a algunas preguntas, no hay que insistir. La finalidad de estas preguntas es ayudarla a reflexionar y a encontrar sus propias respuestas. No te corresponde a ti encontrar una respuesta para la otra persona. Cada pregunta es una puerta que se abre para ella, y solamente ella puede decidir si quiere entrar por esta puerta o no. Tienes que respetar sus límites.

Sobre todo, no digas cosas como: «No te preocupes, lo vas a conseguir». Cuántas personas que padecen cáncer me han confesado que están hasta la coronilla de escuchar esta frase hecha.

> Es mucho más importante animar a la persona a hablar de lo que vive, en lugar de hablar de lo que queremos para ella.

Otro punto que se debe tener en cuenta es evitar hablar constantemente de su enfermedad en su presencia, ya que muchos están hartos de hablar solo de eso. Por lo tanto, es importante comprobar si la persona quiere hablar de ello antes de abordar el tema.

CONOCERSE A TRAVÉS DE NUESTRA REACCIÓN

¿Cuál ha sido tu reacción ante la lectura de lo anterior? ¿Has pensado que era imposible ser tan directo con alguien que acaba de saber que podría morir de cáncer? Acuérdate de que estas sugerencias SOLAMENTE se tienen que utilizar si la persona está abierta a recibir ayuda.

Soy de la opinión de que no tenemos que esperar a que una persona fallezca para empezar a vivir el duelo. ¿Cómo conseguirlo? Practicando el distanciamiento. Cuanta más dificultad tengas para afrontar la posibilidad de perder a alguien cercano, más significa esto que estás demasiado apegado a esa persona.

El distanciamiento se hace poco a poco, a medida que te das cuenta de que nadie ni nada te pertenece. Que todo lo que te rodea está de paso en tu vida para responder a una necesidad. Si eres de aquellos que lo guardan todo, incapaces de deshacerse de nada, llegará un día en el que estarás completamente invadido, sumergido por todos estos bienes. Tendrás el sentimiento de que estás cada vez más asfixiado, de que te falta espacio. Lo mismo ocurre cuando no podemos desapegarnos de las personas que queremos.

> Estar distanciado no significa renunciar o no querer.

Por ejemplo, se puede querer una joya en particular, sin estar apegado. El único medio para darte cuenta de tu grado de apego hacia esta joya es cuando la pierdes. ¿Eres capaz de vivir tranquilamente sin ella?

En el caso contrario, aún estás demasiado apegado. Tu grado de apego hacia los objetos es el mismo que hacia las personas. ¿Por qué no empezar enseguida a distanciarte y a vivir el duelo?

Seguro que sabes que «vivir el duelo» también se utiliza en el sentido figurado de renunciar a algo. La expresión «es preferible vivir el duelo» quiere decir aceptar estar privado definitivamente, pasar página. En resumen, es darse cuenta de que es hora de distanciarse para pasar a otra cosa y acordarte de que la vida continúa.

En todos los casos, lo más importante es la aceptación, después de lo cual, te será más fácil ajustarte a cada nueva fase de tu vida. Además, cuando te enteres de que uno de tus seres queridos puede morir de cáncer o de cualquier otra enfermedad, estarás mucho más capacitado para ayudarle.

Si estás demasiado apegado, te aconsejo que pases por las cinco etapas del duelo muy bien explicadas por Elisabeth Kübler-Ross, psiquiatra y psicóloga, así como pionera de los «cuidados paliativos» para enfermos terminales. Tomemos el ejemplo de un señor que acaba de enterarse de que su mujer tiene cáncer.

La primera etapa representa el *shock* y la **negación**. Ante el anuncio de la posible muerte, entras como en una especie de burbuja. Te sientes anestesiado y distanciado. Te sientes excluido de la vida normal, rechazando creer lo que ocurre: «No puede ser, no es posible, estoy seguro de que se han equivocado y que mi amor lo conseguirá».

La segunda etapa es la **ira**: «¿Por qué esta maldita enfermedad? No es justo. ¿Por qué Dios la emprende con nosotros, cuando siempre hemos sido buenas personas?». Estás contra la vida, las circunstancias, el personal médico; en resumen, sientes una ira intensa. Incluso puedes ir en contra del ser querido por estar enfermo y porque posiblemente te abandonará. La culpabilidad a menudo está muy presente en esta etapa.

La tercera etapa es la **negociación**. Durante ella, te imaginas todo lo que sería posible hacer para retener o mantener sana a la persona querida. Quieres retomar tu vida normal, tu vida «de antes», y estás preparado para cambiar para que eso ocurra. Se trata de otra forma de negación. Aunque no creas realmente en la curación, te imaginas que si hubieses actuado de otra manera durante este o aquel acontecimiento, tu mujer tal vez no tendría esta enfermedad. La culpabilidad también alimenta esta etapa, llena de replanteamientos y de rechazo hacia uno mismo.

Conocí a una mujer que se acusaba de haber sido una mala esposa, de no haber prestado la suficiente atención a la alimentación de su marido; por lo tanto, se decía que era culpa suya que este tuviese cáncer de colon. Durante esta etapa, la persona vive más problemas físicos, como dolores de cabeza, de vientre, de espalda, etc. La resistencia vivida ante la idea de perder a alguien termina tarde o temprano por manifestarse en el cuerpo físico. A menudo es el momento en el que las personas recurren a la oración, haciendo promesas a DIOS.

La cuarta etapa es la **depresión** o los momentos depresivos y de gran tristeza. La realidad termina por atraparte un día u otro. Acabas por darte cuenta de que tu vida en pareja ya no será nunca más la misma, muera o no tu cónyuge. Esta enfermedad es un punto de inflexión en vuestra vida. Es la desilusión. Eres consciente de que tus sueños y proyectos con esta persona posiblemente nunca se realizarán. La tristeza te desborda y puede incluso dar lugar a la depresión.

Esta etapa también puede conllevar resignación si ya no lo puedes soportar. En este punto, tus tres cuerpos, mental, emocional y físico, llegan al límite de su resistencia y puedes caer enfermo.

Pasemos ahora a la quinta etapa —la más importante—, la **aceptación**. Para que el duelo pueda finalmente completarse, tienes que dejar que la aceptación llegue. Como este libro tiene como finalidad ayudarte a aceptarte, y a aceptar todas las decisiones de los demás, ¿por qué no practicar ahora? De esta manera, no tendrás que pasar por todas estas etapas dolorosas. Sería ideal ser capaz de pasar enseguida a la aceptación, pero esto no es posible si aún no has aprendido el distanciamiento en otras situaciones de duelo.

Te recuerdo que aceptar no quiere decir *someterte* o *estar de acuerdo*. Aceptar es respetar lo que ocurre, es observar, es saber que pase lo que pase, siempre hay una buena razón, y que siempre puedes aprender algo útil.

Sabes que el duelo se ha completado con la aceptación cuando:

- Te acostumbras poco a poco a tu nueva realidad.
- Gradualmente te abres a nuevos proyectos, a nuevos sueños.
- Piensas en la antigua relación, pero de manera menos constante, con un dolor menos intenso.

Sin embargo, cada duelo es único. Algunas etapas pueden vivirse con más intensidad o una mayor duración que otras. Además, no se trata necesariamente de etapas que siguen un orden preciso. Podemos sentir ira un día, una gran tristeza al día siguiente, después ira otra vez o culpabilidad al día siguiente.

Las etapas del duelo se viven de manera diferente en función de las heridas que se activen en ti durante el anuncio del cáncer o de la muerte de un ser querido. Al ser capaz de pasar tu propio duelo, serás mucho más capaz de ayudar a una persona a atravesar cada una de estas etapas.

El hecho de encontrar lo que se aprende con la enfermedad, y posiblemente con el fallecimiento de otra persona, es lo más útil para ti y una gran ayuda para que puedas aceptar la situación. Me dirás: «¿Cómo podría serme útil la enfermedad o la muerte de alguien a quien amo tanto?». Esta experiencia te es útil para darte cuenta del grado de apego o de posesión que experimentas en tu vida. Te es útil para darte cuenta de tu capacidad para soltar, de que no debes querer controlarlo todo en tu vida o en la de otra persona. Te es útil para darte cuenta de quién dirige tu vida: tu ego o tu corazón.

Siempre es el ego el que se resiste. Cuando estás en tu corazón, te es más fácil aceptar la decisión de otra alma, su forma de vida, aunque no entiendas por qué una persona elegiría este tipo de enfermedad para aprender algo importante para ella.

> Nunca entendemos las decisiones de los demás, solamente las aceptamos.

Muchas personas ni siquiera consiguen superar el duelo al estar tan apegadas a aquellos a quienes quieren. A menudo me he encontrado con padres que aún lloran la muerte de su hijo después de más de veinte años. Me doy cuenta de que se culpan mucho con los *tendría que haber hecho*.

Otros viven lo mismo con sus padres, con los que tenían muchas diferencias, y se dicen que tendrían que haber hecho las paces con ellos antes, pero que ahora es demasiado tarde. Estos son ejemplos típicos de personas que no se aceptan.

Por el contrario, la enfermedad y el fallecimiento de un ser querido tendrían que haber servido para ser conscientes de esta no aceptación. Puede que algunos elijan, tal vez de manera inconsciente, atraer un cáncer, precisamente para hacer consciente aquello que podrían haber aprendido durante la enfermedad de su ser querido y que se han negado a ver. Pero poco importa, siempre hay una lección importante que extraer para cada persona implicada en una misma situación.

En el próximo capítulo encontrarás herramientas concretas que te ayudarán a aceptarte más profundamente.

Capítulo nueve

DESCUBRIR EL PODER DEL AMOR

El objetivo de este último capítulo es poner a tu disposición todas las herramientas posibles para amarte en lugar de rechazarte, lo que te ayudará a:

- Volver a ser consciente de la persona extraordinaria que eres.
- Incrementar tus límites al dejar de creer en la impotencia.
- Retomar el contacto con tu poder divino, capaz de curar y prevenir un cáncer.

Este capítulo está dirigido a cualquier persona que tenga la intención de aprender a amarse más, aunque se centra, en particular, en aquellas que hayan padecido o que aún padecen cáncer. Si no es ese tu caso y lees este libro con fines meramente informativos, puedo asegurarte que si pones en práctica lo que sigue en este capítulo, puedes prevenir el cáncer.

¿Qué quiere decir amarse realmente? Si formas parte de los que han leído algunos de mis libros y participado en numerosos talleres, seguramente has escuchado muchas veces lo que me dispongo a explicar. Sin embargo, te recuerdo que nuestro ego nos juega tantas malas pasadas que creemos que siempre somos capaces de acordarnos de lo que hemos aprendido. Pero, por desgracia, esto no es lo habitual, sobre todo con respecto a los nuevos conocimientos del ámbito espiritual.

Normalmente tiene que haberse experimentado varias veces en la conciencia con el fin de integrarlo bien de una vez por todas. Por eso quienes escuchan hablar desde hace muchos años de las etapas de reconciliación y de perdón a menudo se olvidan de ellas.

Recientemente, una amiga que completó toda la formación de *Écoute Ton Corps* hace muchos años, compartió conmigo un acontecimiento doloroso que vivía con un miembro de su familia, otra mujer con la que siempre se había llevado bien. Entre otras cosas, me escribió: «No quiero volver a verla ni a escucharla nunca más. Es tan injusta con sus palabras y sus acciones que ya no tengo ganas de sufrir su contacto».

Inmediatamente pude sentir que su sufrimiento –el rechazo hacia esa mujer– era tan fuerte que había olvidado todo lo aprendido. Cuando le recordé que no podría dejar de sufrir hasta que pusiera en práctica lo que había aprendido, es decir, acordarse de que todo lo que atrae hacia ella le pertenece y que solo es un reflejo de lo que le ocurre, no se resistió. Sabía muy bien que esto era verdad, aunque no fue capaz de aplicarlo de inmediato. Incluso estaba sorprendida de comprobar que lo que había puesto en práctica varias veces en su vida de repente había desaparecido de su memoria por completo, porque su dolor era demasiado grande.

Es importante establecer la diferencia entre una experiencia, un experimento y un conocimiento. Este último hace referencia al acto de aprender, mientras que la experiencia significa poner en práctica y, por lo tanto, adquirir una nueva conciencia de lo que hemos aprendido por la práctica. El experimento es la capacidad de comprobar por la experiencia. Por lo tanto, consiste en vivir una experiencia con más conciencia. Se puede decir que un cirujano que ha experimentado todo tipo de intervenciones quirúrgicas es ahora un cirujano con mucha experiencia.

Algunas personas creen que son muy conscientes porque han leído mucho o participado en talleres de todo tipo, aunque esto no son más que conocimientos. Son las primeras en obstinarse con los demás, creyendo todo lo contrario. Este tipo de actitud se llama *orgullo intelectual*.

> En realidad, la verdadera conciencia viene únicamente con la experiencia.

Es lo mismo que ocurre con el verdadero perdón. El hecho de leer las etapas o de escuchar hablar de ellas en un taller no tiene nada que ver con el hecho de experimentarlo. Pero solamente después de haber vivido varias veces este tipo de experiencia, podemos realmente ser conscientes de todas las consecuencias beneficiosas que puede aportarnos. Esta es la razón por la que es importante empezar a practicar con heridas menores, para finalmente llegar a las demás y perdonarte en las situaciones más difíciles.

EL AMOR VERDADERO

Estas son algunas de las características del amor hacia uno mismo que se enseñan desde hace más de treinta años en la escuela *Écoute Ton Corps*:

- Respetarte.
- Concederte el derecho a ser humano.
- Dirigir tu vida escuchando tus propias necesidades.
- Hacer peticiones y aceptar recibirlas.
- Comprometerte sin crearte expectativas.
- Acordarte de que únicamente eres responsable de ti mismo.
- Aceptar, observar y admitir, aunque tu ego no esté de acuerdo.

A continuación añado más detalles a cada una de estas ideas con el fin de ayudarte aún más a curar tus heridas de rechazo y de injusticia, que son la causa del cáncer.

RESPETARTE

Respetarse es reconocer que necesitas espacio para vivir, al igual que todos los seres que habitan en la Tierra, incluyendo la naturaleza y los animales. Este espacio indispensable se encuentra en los planos mental, emocional y físico.

MENTAL: tus pensamientos, tus ideas y tus conocimientos te pertenecen y no tienes que cambiarlos para sentirte querido por otra persona. Tener tu espacio significa atreverte a afirmar tus ideas o tu opinión y, sobre todo, aceptar que si los demás no están de acuerdo con lo que dices, no te están rechazando, sino que simplemente no tienen la misma opinión que tú, al tener conocimientos diferentes a los tuyos.

EMOCIONAL: tus deseos, tus sentimientos y tus objetivos te pertenecen, y aunque no conciernan a tus seres queridos, no tienes que cambiarlos para sentirte amado. Tienes derecho, al igual que ellos, a tener objetivos diferentes. Y perseguirlos es un síntoma de autoestima.

FÍSICO: tu espacio físico incluye tus bienes, tus posesiones, tu dinero y tu tiempo, y puedes disponer de ellos como mejor te parezca. Por lo tanto, puedes decidir lo que quieres en tu vida, ya que siempre serás el único que asumirá las consecuencias.

Si otra persona trata de hacerte creer que lo que posees, lo que haces o lo que eres le molesta y que se ve obligada a asumir las consecuencias de tus elecciones, ello es simplemente una indicación de que esa persona no sabe respetar su propio espacio. NO TE ESTÁ TACHANDO DE NADA, NO TE RECHAZA. Su problema proviene de su propia interpretación o de sus creencias frente a tu actitud. No se da cuenta de que al tratar de entrar en tu espacio, pierde el suyo.

Si no te respetas en lo que eres, lo que haces y lo que tienes, es cierto que tu entorno no lo podrá hacer en tu lugar. Solo cosechamos de los demás lo que sembramos. Por lo tanto, tienes que observar cómo se comportan contigo quienes te rodean para darte cuenta de hasta qué punto te respetas, lo que te ayudará a amarte más.

> Tu entorno solo es un reflejo de tu actitud hacia ti mismo.

Al mismo tiempo, pregúntales a quienes te rodean si consideran que has invadido a menudo su espacio físico, emocional o mental. Esto te ayudará a saber que si no los respetas en su espacio, es una señal de que no te respetas. Vuelvo al ejemplo de la agente del aeropuerto que se sintió insultada cuando no me detuve para que comprobara mi pasaporte y mi tarjeta de embarque. Estoy segura de que aquella empleada no se sintió respetada por mí, al igual que yo tampoco me sentí respetada por ella cuando me llamó de aquella manera con su potente voz.

CONCEDERTE DERECHO A SER UN SER HUMANO

He mencionado varias veces en este libro que si has atraído un cáncer a tu vida, es debido a tus heridas de rechazo y de injusticia —de hecho, esta última apareció, sobre todo, para ayudarte a no sentir el rechazo—. Estas dos heridas son las que te empujan a vivir según un ideal inalcanzable. Debes admitir que has tenido que ser muy exigente contigo mismo a lo largo de tu vida, hasta el punto de haberte convertido en un eterno insatisfecho.

> La persona con la que eres más injusto es contigo mismo, lo que tiene el efecto de hacer que te sientas aún más rechazado.

Todo esto es para que comprendas que no te has concedido el derecho a ser un ser humano, con defectos, límites, miedos, debilidades o heridas sin curar. Sin duda, te has criticado mucho por todo y por nada. Cuando alguien te criticaba, confirmaba lo que creías de ti. Sin embargo, como esta no aceptación a menudo es inconsciente, tal vez aún experimentas una fuerte ira cuando los demás te critican, al no querer ver hasta qué punto te criticas en el mismo grado. O, por el contrario, puede que esta ira esté muy reprimida, a excepción de los momentos en los que llegas al límite y tu herida de injusticia toma el control. Esta última te empuja a rebelarte y a acusar abiertamente al que te critica.

Cuando es tu herida de rechazo la que está en funcionamiento, no dices nada, te borras o huyes. Cuando replicas abiertamente, es más bien la herida de injusticia la que ha tomado el control. Por otra parte, es tu herida de rechazo la que te lleva a criticar el hecho de tener necesidades, deseos o creencias con las que los demás no están de acuerdo, lo que te hace vivir culpabilidad.

Empieza desde ahora a aceptar el hecho de que toda persona en esta Tierra es humana, con altibajos, fuerzas y debilidades, etc. Tienes que saber que el ideal de perfección que te has forjado no es realista.

> La verdadera perfección divina se manifiesta cuando te concedes el derecho a ser un ser humano, sin ninguna crítica o juicios de valor.

Para saber si te concedes el derecho a ser un ser humano, comprueba otra vez hasta qué punto criticas y juzgas a quienes te rodean. Te recuerdo que cuando juzgas a alguien, también te juzgas a ti mismo por ser de esa manera, aunque no seas consciente de ello. Todo aquello a lo que tu alma aspira es para darte el derecho, para autorizarte a ser lo que eres en cada instante, sabiendo que poco a poco llegarás a ser más lo que quieres ser.

Esta aceptación es la única respuesta a algunas de las cuestiones mencionadas en el primer capítulo. Consideremos esta: ¿por qué algunos fumadores nunca tienen cáncer, aunque se dice que el tabaco es la causa principal del cáncer de pulmón? He oído de varias personas que fumaron mucho durante su vida y cuya autopsia reveló que tenían los pulmones sonrosados como los «no fumadores». ¿Por qué? Porque fumaban autorizándose a tener ese tipo de deseo. Fumaban por amor, saboreando plenamente cada cigarrillo y SIN SENTIRSE CULPABLES. Así sabemos que se actúa por amor: no hay ningún juicio ni acusación bajo cualquier forma, ya sea de nuestra parte o de parte de los demás.

No estoy diciendo que todo el mundo debería fumar, ya que es evidente que el cuerpo tiene que utilizar su energía para eliminar todo lo que no necesita del cigarrillo, y que esta energía se podría emplear para algo más constructivo. Pero

¿quién no ha tenido alguna vez deseos que requieran trabajo, esfuerzos para el cuerpo físico? Por mi parte, aún no he conocido a una persona así. Algunos se autoconvencen de que siempre escuchan las necesidades de su cuerpo físico, pero lo hacen, sin embargo, por miedo, controlándose constantemente. Esta actitud es todo lo contrario a la aceptación. Por consiguiente, este tipo de persona atraerá aquello a lo que tiene miedo, como he mencionado anteriormente.

¿Te das cuenta de que para llegar a amarte es fundamental que aceptes que eres un ser humano con todas sus limitaciones?

EL TRIÁNGULO DE *ÉCOUTE TON CORPS*

El triángulo de *Écoute ton corps* surge directamente de la gran ley espiritual de la vida.

> Como eres contigo mismo, eres con los demás, y del mismo modo son ellos contigo.

Lo que resulta más interesante es que lo que ocurre entre otra persona y tú, ocurre siempre en el mismo grado para ambos. Los mismos miedos y las mismas emociones se viven, a su vez, con la misma intensidad. Cuando atraviesas una situación difícil con alguien, sueles creer que eres tú el que más sufre. Aunque te lo pueda parecer, en realidad no es así.

Es solo que cada uno de nosotros somos conscientes en grados diferentes y eso hace que parezca que sufrimos la situación también en grados diferentes. Tomemos a una persona muy rígida que parece indiferente cuando se produce una desgracia. Esto no quiere decir que no viva una gran angustia interior, solo que la reprime o la niega controlándose.

Acordarte de este triángulo te ayudará a ser compasivo con los demás, así como contigo mismo. Ya que tienes el poder de crear tu propia vida, ¿por qué no utilizar este triángulo para conseguir lo que quieres? Por ejemplo, si tratas de rodearte de personas tolerantes en lugar de críticas, esta ley te dice que solo tienes que ser tolerante contigo mismo, así como con los demás, y quienes te rodean lo serán más contigo. Esto se convierte en un círculo virtuoso, en vez de en un círculo vicioso provocado por las críticas.

DIRIGIR TU VIDA ESCUCHANDO TUS PROPIAS NECESIDADES

En el capítulo siete, mencioné la importancia de tomar la decisión de vivir por ti mismo. Pero ¿realmente sabes lo que quieres, lo que necesitas? ¿Eres de los que comprueba si lo que quieres molesta a los demás, o si están de acuerdo? ¿Compruebas junto a tus seres queridos cómo se sienten con el hecho de que te ocupes de tus necesidades? Sin duda, has comprobado en los ejemplos de cáncer citados en el capítulo cinco que ya desde muy jóvenes, estas personas se negaban el derecho a escuchar sus propias necesidades. Denise lo expresó muy bien al decir que *solo tenía derecho a tener deseos que le gustasen a su madre.*

De jóvenes, muy pocos de nosotros aprendimos que teníamos derecho a tener deseos y necesidades, sobre todo si nuestros padres no estaban de acuerdo con ello. Es un aprendizaje que todos tenemos que llevar a cabo un día u otro en nuestra vida. ¿Por qué no ahora?

Si tienes dificultades para saber lo que necesitas, plantéate la siguiente pregunta: «Si todas las circunstancias fueran perfectas en este momento y no perjudicase a nadie, ¿qué querría para mí?». Cuando obtengas la respuesta, asegúrate igualmente de saber lo que este deseo, una vez manifestado, te ayudará a SER.

Tomemos el ejemplo de Julie, que desarrolló un cáncer de tiroides. Si se hubiese planteado esta pregunta, seguramente habría recibido la siguiente respuesta: «Quiero dejar de trabajar y quedarme en casa con los niños». Esta respuesta representa en sí un deseo. Todo lo que surge del nivel del *tener* y del *hacer* se considera un deseo. La verdadera necesidad siempre se sitúa en el nivel del *ser*. Las personas con la herida de rechazo que no se autorizan a ser o a existir tienen aún más necesidad de plantearse la siguiente pregunta: «El hecho de obtener este deseo, ¿me ayudará a SER qué?». En el caso de Julie, la respuesta había sido: «Ser autónoma, ser libre de decidir por mí misma». Acaba de darse cuenta de una parte de su plan de vida: necesita experimentar el hecho de ser autónoma y libre para decidir, sin sentirse culpable.

¿Ves como con este tipo de ejercicio es más fácil autorizarte, darte el derecho a utilizar diferentes medios (deseos) para conseguir lo que necesitas experimentar para ser feliz?

Tienes que saber que es imposible para quienquiera que tenga deseos que estos se correspondan con todos los de sus seres queridos. Esta actitud engendra frustración, que termina por despertar un sentimiento de impotencia. Lamentablemente, se trata de una imposibilidad que mucha gente cree posible. Llegados a este punto, es importante saber diferenciar posibilidad, imposibilidad e impotencia.

> La posibilidad o la imposibilidad tienen que ver con la realidad, mientras que la impotencia tiene que ver con la reacción de tu ego ante una situación o ante una persona.

En resumen, tienes que hacerte a la idea de una vez por todas de que tienes derecho a permitirte tener necesidades diferentes a las de los demás.

Recuerda que no son tus miedos los que hacen que te sientas impotente, es a la inversa: el hecho de creerte impotente ante una situación es lo que genera tus miedos.

Cuanto más te autorices a escuchar tus propias necesidades, más fácil te será aceptar que los demás tengan deseos y necesidades diferentes a los tuyos. Para saber si lo aceptas, observa tu reacción cuando un ser querido te haga partícipe de un deseo con el que no estás de acuerdo. ¿Intentas hacerle cambiar de idea o rotundamente le prohíbes pasar a la acción, o incluso estás dispuesto a ayudarlo, aunque no estés de acuerdo con ese deseo, solo por el placer de agradarle? Te sugiero que les preguntes a tus seres queridos cómo te comportas, según ellos, en este tipo de situación.

¿Dejas de vivir porque la elección de tus seres queridos no te parece bien o te molesta? Por ejemplo, conozco a varias abuelas que son infelices porque no están de acuerdo con la manera en la que sus hijos cuidan de sus nietos. Están convencidas de que si su hijo y su cónyuge escucharan sus consejos, todo el mundo sería mucho más feliz. Se preocupan tanto que terminan por crearse un cáncer en el útero, ya que este representa el nido familiar.

Otros creen que es culpa suya si la familia no se lleva bien y vive dificultades. Todos y cada uno de nosotros tenemos un plan de vida y, evidentemente, no puedes controlarlo todo, al igual que los demás no pueden controlarte. Esta actitud significa lo contrario al amor verdadero hacia uno mismo y hacia los demás.

Sería conveniente que te acordaras de que tu entorno es responsabilidad tuya. Si algo o alguien te perjudica, te molesta y dejas que te impidan escuchar tus necesidades, solo te corresponde a ti cambiar, ya sea de entorno o de forma de pensar. Tienes que elegir algo diferente.

Al mismo tiempo, no olvides que sea cual sea tu deseo o necesidad, nada se manifestará en tu vida si no pasas a la acción. El hecho de hacerle frente a lo que quieres resulta un medio excelente para cambiar la imagen que te has forjado de ti mismo. Al hacerlo, te darás cuenta de que ya no estás solo, de que el universo siempre está trabajando para ayudar a los que deciden ayudarse. Efectivamente, has entendido el siguiente dicho: *ayúdate y Dios te ayudará.*

HACER PETICIONES Y ACEPTAR RECIBIRLAS DE LOS DEMÁS

Para llegar a manifestar un deseo cualquiera, es muy posible que tengas que hacer peticiones, pero que no te atrevas a hacerlas por miedo a que te digan que no. Cuando la otra persona dice que *no* a una de tus peticiones, no dice que no a lo que tú ERES, sino más bien a lo que pides. Por lo tanto, te guardas tu deseo y, al no saber lo que quieres, los demás no te ofrecen nada. Esto confirma una vez más que no te quieren –según tu percepción– y, de esta manera, sigues sintiéndote rechazado. Qué círculo vicioso, ¿no es así? ¿Puedes darte cuenta de hasta qué punto tu ego te juega malas pasadas cuando no eres tú mismo y te dejas convencer por él de que nadie te quiere, considerándote demasiado inútil para ser querido de verdad?

¿Cómo actúas cuando alguien te ofrece ayuda, sin que la hayas pedido? Hay muchas probabilidades de que tu primera reacción sea la de rechazarla, afirmando que puedes hacerlo muy bien solo. ¿Por qué? Porque no te crees digno de recibirla, sobre todo si consideras que no te la mereces. ¿Te das cuenta de que cuando rechazas de este modo, la otra persona puede sentirse también rechazada por ti? ¿Tu intención era la de rechazarla? Por supuesto que no. Sin duda, tu rechazo está motivado por el hecho de que crees que no mereces recibirla de alguien a quien anteriormente no se la has dado.

Es hora de que te vuelvas más consciente de este tipo de situación, recordándote que los demás también tienen intenciones diferentes a las que crees. Tu herida de rechazo es la que lo falsea todo; te hace creer fácilmente que los demás te rechazan, aunque no es así. En este tipo de situación, puedes comprobar que las heridas de rechazo y de injusticia se activan con frecuencia.

Te sugiero que vivas la siguiente experiencia: simplemente di *muchas gracias, eres muy amable*, cuando una persona te ofrece ayuda o un consejo, mientras sientes el placer que sacará de la ayuda que te ha aportado. Si es un consejo, lo acoges sabiendo que su intención era la de ayudarte. Después harás lo que quieras.

Cuántas veces me he acercado a alguien que sufría de rechazo y le he dicho: «¿Puedo sugerirte algo que sinceramente creo que puede ayudarte a realizar esta tarea más fácilmente?», solo para ver cómo me rechazaba. En su herida de rechazo, la persona no se atreve a decir nada, pero a la vista de su comportamiento cerrado y de su evidente disgusto, compruebo enseguida que me escucha con educación... pero no escucha realmente lo que le digo. Sufre demasiado por lo que le ocurre, por ejemplo: «Eso es, va a decirme que no realizo bien mi trabajo, que soy inútil y que tendría que ser como ella». Cuando es la herida de injusticia la que está más activada, la persona, generalmente, es más capaz de expresarlo en voz alta. Si es la herida de rechazo, reprime en su interior lo que siente.

Si dedicaras un tiempo todos los días a hacerte cumplidos, volviéndote consciente de hasta qué punto eres especial, dotado, talentoso, trabajador y entregado, sabrías que tienes derecho a pedir y a obtener ayuda. Puedes atreverte a permitirte recibir ayuda de los demás aunque no la hayas pedido, o aunque aún no les hayas dado nada a ellos.

Al rechazar la ayuda, luchas contra la justicia divina que siempre quiere que recojas lo que siembras.

¿Eres consciente de las muchas veces que has ayudado a otras personas? Admito que tal vez tu motivación fuera la de querer sentirte querido por esta persona, pero ¿por qué no aceptarías esta ayuda de los demás, que seguramente también tienen la misma motivación que tú? No eres el único que tiene tantas dificultades para amarse que se ve obligado a ir a buscar este amor en el exterior. La ley del retorno establece que no recibes necesariamente de la persona a la que has dado. Puedes haberle hecho un favor un día a alguien en una tienda, y recoger este don de uno de tus vecinos.

Todos y cada uno de nosotros aspiramos a recibir y a dar por amor, es decir, sin expectativas específicas. Son las dos caras de una misma moneda. Cuando solamente das por placer, por lo general, compruebas primero si la otra persona quiere tu ayuda. Si la rechaza aunque tú querías dar por amor, te será más fácil aceptarlo, al saber que simplemente expresa su necesidad y no rechazo hacia ti. También puede que la otra persona aún tenga más dificultades para aceptar recibirla.

Al saber dar por amor, recibes, por lo tanto, amor. En este sentido, serás capaz de entender el placer que la otra persona siente al ayudarte o al darte algo. Por el contrario, muy pocos son capaces de dar y recibir por amor hoy en día; la mayoría lo hace mucho más para sentirse querida. Por lo tanto, es preferible que evites juzgarte si aún tienes dificultades para recibir y dar siempre por amor. Solo tienes que recordarte, en este caso, que son las heridas de rechazo y de injusticia las que están en funcionamiento y te hacen reaccionar de esta manera.

Cuando alguien rehúsa tu ayuda y enseguida te sientes rechazado, hasta el punto de juzgarte como inútil, sin importancia, y creer que es por esta razón por la que la otra persona actúa de este modo, plantéate la siguiente pregunta: «¿Quería ayudarle para sentirme querido, o simplemente por ayudarle?». Es un excelente medio para darse cuenta una vez más de hasta qué punto tu herida de rechazo se activa a menudo. Lo hace no solo cuando tienes miedo a ser rechazado por los demás, sino también cuando te rechazas y cuando tienes miedo a que los demás se sientan rechazados por ti.

En conclusión, cuando la otra persona rechaza tu ayuda, no TE está rechazando, solo expresa SU necesidad en ese momento, que no tiene nada que ver con lo que eres. Cuando rechazas, a tu vez, la ayuda de alguien, actúas de la misma manera y, por lo tanto, no es ninguna forma de rechazo. Cuando seas consciente y aceptes este hecho, dirás «no» de manera diferente; no se tratará de un «no» reactivo.

COMPROMETERTE SIN CREARTE EXPECTATIVAS

Si tienes dificultades para recibir, es muy probable que te crees cada vez más expectativas respecto a los demás. Al no expresarlas y guardártelas, las expectativas generan frustración, que más adelante conduce a un sentimiento de impotencia.

Nadie tiene derecho a tener expectativas sin que de antemano haya habido un acuerdo establecido. Esta capacidad de establecer acuerdos claros y precisos es muy difícil para la persona que sufre de rechazo, debido a sus problemas de comunicación y a su dificultad para ser realmente consciente de sus necesidades. Por otro lado, lo hemos visto entre todos los ejemplos de cáncer mencionados en el capítulo cinco. Al rechazar sentir y autoconvencerse de que todo va bien, es muy fácil ocultar lo que queremos en la vida y, sobre todo, la ayuda que nos sería particularmente útil.

Llegando a ser más consciente de la importancia de esta herida en tu vida, percibirás más rápidamente la frustración o la decepción que sientes en diferentes situaciones y con algunas personas. Cuando percibas este sentimiento, dedica unos instantes para preguntarte cuáles eran tus expectativas en ese preciso momento. Te darás cuenta muy rápido de que no se había establecido ningún acuerdo. Recuerda que un acuerdo es cosa de dos, que la otra persona no se puede comprometer a SER lo que sea. En consecuencia, no podemos exigirle que nos prometa SER algo.

> Un compromiso o un acuerdo solo se puede establecer en el plano del hacer o del tener. Nunca en el del ser.

Volvamos al caso de Denise, cuya madre rechazaba que se la llamara *mamá*. Nunca hubo acuerdo entre ella y su madre para que se la llamase de otra manera. Lo mismo ocurría con su marido. Este nunca le hizo la promesa de que se abstendría de cualquier adicción cuando se casaran. A partir del momento en el que hacemos una petición con expectativas, no es un acuerdo. De hecho, se parece más a una orden y se espera que el otro obedezca. Creemos (erróneamente) que si el otro nos obedece sin que haya habido un verdadero acuerdo, ello es una prueba de amor.

Incluso podemos creer que ha habido un acuerdo aunque el otro nunca haya dicho que sí. Solo ha escuchado la petición. Un ejemplo: la semana antes de mi cumpleaños le dije a mi primer marido:

—Sabes cariño, la semana que viene es mi cumpleaños y te recuerdo que mi restaurante preferido está en el hotel Reine Élisabeth.

Me sonrió levemente sin decir una palabra. Yo estaba convencida de que acababa de comprometerse, aunque a la semana siguiente, olvidó por completo el día de mi cumpleaños.

La verdad es que nunca se comprometió a recordar mi cumpleaños cada año y, además, a celebrar este acontecimiento en mi restaurante preferido. Puedes adivinar el resto: viví emociones, ira y frustración, prometiéndome que se la devolvería en su cumpleaños. He aquí, entre otras cosas, una de las razones por las que este matrimonio terminó después de quince años. No habíamos aprendido, ni el uno ni el otro, a hacer acuerdos claros y precisos. Buscaba constantemente pruebas de amor por su parte porque yo no me amaba lo suficiente.

¿Cómo puede tener ganas la otra persona de darnos una prueba de amor, cuando el hecho de exigirle algo está totalmente en contra de las leyes del amor incondicional? Es como querer cosechar zanahorias cuando hemos sembrado rábanos. Esta ley, que dice que siempre cosechamos lo que sembramos, se aplica en todos los ámbitos, tanto el físico como el psicológico.

Si te reconoces en estas palabras, te puedes ver como alguien que a menudo tiene expectativas sin acuerdo por parte de los demás. Esto indica que haces lo mismo contigo: tienes muchas expectativas de cara a ti mismo sin haberte comprometido realmente.

Supongamos que a menudo te amilanas cuando te encuentras en presencia de alguien que te intimida. Como no podemos comprometernos en el nivel del SER, no puedes hacerte la promesa de ocupar tu lugar en cada momento. Pero sí puedes hacerte la promesa –tomar la decisión– de realizar tres respiraciones profundas en el momento en que sientas que te estás achicando. A continuación, tal vez te darás cuenta de que esta promesa está más allá de tus límites y que no puedes respetarla. En lugar de juzgarte, de sentirte culpable, acepta el hecho de que tienes límites y haz una promesa menos exigente. Por ejemplo, puedes decirte que lo harás una vez de cada dos.

He mencionado varias veces en este libro hasta qué punto las personas con las heridas de rechazo y de injusticia no saben respetar sus límites y son muy exigentes consigo mismas. Por esta razón insisto en el hecho de que seas más amable contigo mismo, menos exigente, y que te asegures de que el compromiso que has tomado contigo mismo sea realista, antes de tener tantas expectativas.

ACUÉRDATE DE QUE ÚNICAMENTE TÚ ERES RESPONSABLE DE TI MISMO

La noción de responsabilidad es indispensable para conseguir la curación de todas nuestras heridas, tanto las del alma como las del cuerpo físico. Esta gran falta de amor por uno mismo se debe al hecho de que olvidamos constantemente que somos responsables de nuestra vida y, por lo tanto, los únicos creadores de todo lo que nos ocurre.

De todo lo que he podido aprender y enseño desde hace más de treinta años, esta noción de responsabilidad es a la que nuestro ego opone más resistencia. De hecho, este siempre quiere hacernos creer que cuando nos encontramos con un problema cualquiera, otra persona es la causa. Está convencido de que todo lo que nos ocurre proviene del exterior y no de nuestro interior.

Para conseguir amar verdaderamente, perdonar de verdad, poner en práctica la noción del espejo, aceptar la noción del triángulo y dejar de tener expectativas, primero tenemos que aceptar y practicar la responsabilidad, tal como se indica en el capítulo seis.

Si te sientes incapaz, todo lo que está escrito en este libro no tendrá ningún efecto sobre ti y, sin duda, causará resistencia por tu parte. Sé que frente a ciertas situaciones, como en los ejemplos de los hechos vividos en el capítulo cinco, es normal y humano creer que nunca fue nuestra intención que todo eso ocurriera, que nuestros padres hubieran tenido este tipo de actitud hacia nosotros.

Tengo otro ejemplo que me viene a la cabeza, el de Francine, que se curó de un carcinoma en la espalda. Su madre la llamó *el accidente* hasta los catorce años, pero un día se rebeló y le dijo que nunca más la llamase de esa manera. Francine era el quinto hijo, fruto de un embarazo no deseado.

Tal vez pienses: «Es normal que la pobre Francine se haya sentido rechazada, después de que toda la familia la llamase de esa manera. Ella no lo pidió, así que, evidentemente, no es culpa suya. De hecho, seguramente habría preferido ser reconocida desde el nacimiento. En realidad, ¿no es más bien culpa de su familia que Francine creyese que no era nada, que ni siquiera tenía derecho a un nombre?».

Esta es una reacción del ego, para el que es imposible entender y aceptar que somos dioses creadores, que creamos constantemente nuestra vida, ya sea agradable o no. Por lo tanto, no puede aceptar que ese gran poder también hace que ocurra lo que no quieres que ocurra, y que por paradójico que resulte, eres tú quien así lo ha decidido, ya seas consciente o no. Tratará de hacerte creer que si algo no funciona en tu vida, es culpa de otra persona o de una circunstancia exterior.

> Y tú, ¿qué eliges con tus pensamientos, tus creencias y tus acciones? ¿Hacer que ocurra lo que quieres o lo que no quieres?

En el caso de Francine, ¿por qué ha tenido que nacer en una familia donde se ha sentido tan rechazada? Simplemente para responder a las necesidades de su alma. Decidido en el mundo del alma antes de nuestro nacimiento, nuestro plan de vida está determinado por las necesidades de nuestra alma y no por nuestros deseos.

> En la vida, siempre nos ocurre lo que NECESITAMOS, y no lo que DESEAMOS.

Las necesidades están en función del ser y, por lo tanto, son de orden espiritual, mientras que un deseo proviene del ámbito material para responder a lo que nos gustaría en los planos físico, emocional y mental. Como la mayoría de nosotros somos demasiado inconscientes para saber lo que necesita nuestra alma a fin de vivir en el amor verdadero, nuestro DIOS interior nos atrae magnéticamente hacia la familia y el entorno que necesitamos para manifestar nuestro plan de vida, en cada una de nuestras vidas.

Por lo tanto, podemos decir que Francine fue atraída por este tipo de familia porque, sobre todo, tenía que trabajar su herida de rechazo en esta vida presente. Tiene que conseguir quererse de verdad en vez de rechazarse. Como siempre cosechamos lo que sembramos, el hecho de cosechar un rechazo como este fue provocado por el que sintió durante mucho tiempo hacia a ella y hacia a los demás. Desde muy joven, Francine sintió mucho rechazo por parte de su madre y de su hermana mayor, al igual que de las otras niñas que se burlaban de ella porque era hija de un campesino, yendo a un colegio burgués dirigido por monjas.

Estas personas seguramente también sintieron rechazo por parte de Francine. Acuérdate de que todo sentimiento de rechazo —así como toda emoción— que se vive en una relación siempre se siente por parte de uno y de otro y en el mismo grado, aunque las dos personas no sean conscientes de la misma manera. Todo depende del grado de conciencia y de la capacidad de sentir.

Este es el motivo por el que necesitó llegar a esta familia. Recordemos que nuestros deseos provienen de los cuerpos emocional y mental, y que estos ignoran las verdaderas necesidades del alma.

Nuestras necesidades provienen directamente de nuestro DIOS interior, que es omnisciente, es decir, que sabe todo sobre nosotros desde la creación de nuestra alma. Él sabe todo lo que necesitamos para volver a la luz, a lo que todas las almas terrestres aspiran. Este momento sublime solo será posible cuando te concedas el derecho a ser un ser humano, con tus imperfecciones y tus heridas, como ya he mencionado.

Por lo tanto, es imprescindible ser más consciente del hecho de que creas constantemente tu vida según tus acciones, tus reacciones y tus decisiones. Si tu vida no se desarrolla como deseas, en la felicidad y en la paz, automáticamente sabes que no escuchas la mayor necesidad de tu alma, es decir, la de amarte.

Si no aceptas el hecho de que eres tú el que atrae todas las situaciones y las personas que necesitas, acusarás a los demás de tus desgracias. Además, creerás que si los demás son responsables de tu felicidad, tú eres el responsable de la suya. Al hacerlo, te volverás una persona controladora. Todo el tiempo que emplees en ocuparte de la felicidad de los demás será tiempo desperdiciado para ti. ¿Aún no sabes que estás en la Tierra únicamente por ti? ¿Para curar tus heridas? ¿Para ayudar a tu alma a volver a la luz? Nadie puede hacerlo en tu lugar, al igual que no tienes el poder de hacerlo por ellos. Es tu ego el que cree tener este poder y tienes la elección de dejar que te dirija o no.

La consecuencia más dañina de no adherirse a la noción de responsabilidad es la culpabilidad hacia uno mismo y la culpabilidad hacia los demás, lo que ya he explicado en este libro.

ACEPTA, OBSERVA Y ADMITE, AUNQUE TU EGO NO ESTÉ DE ACUERDO

Termino con la explicación de las principales nociones del amor verdadero con la que considero la más importante:

LA ACEPTACIÓN. Por lo tanto, repito lo que ya he indicado en el capítulo seis en relación con la reconciliación y el perdón.

> Aceptar no quiere decir estar de acuerdo. Es reconocer, admitir y observar un hecho o una persona. Por lo tanto, no hay ningún juicio, bueno o malo.

El hecho de aceptar te ayudará mucho a dejar de creer que eres tu ego, que eres lo que tienes o lo que haces. **No eres tus creencias, eres mucho más que eso.** Aceptarte es el único medio para volver a ser lo que quieres ser.

Esto significa que cada vez que te des cuenta de que te sientes rechazado o de que rechazas a otra persona, aceptes y observes que esta herida está todavía presente en ti. Acepta el hecho de que no has podido evitar su influencia en vez de juzgarte, acusarte y, sobre todo, en vez de intentar ocultarlo para no sentir tu herida.

> Aceptar es autorizarte a ser lo que no quieres ser, al tiempo que recuerdas lo que quieres ser.

Con este tipo de aceptación, puedo asegurarte que conseguirás ser más a menudo lo que quieres, mientras te autorices a ser humano, con debilidades.

Para curar tu herida de rechazo tienes que estar más alerta con respecto a las situaciones que te llevan a querer cerrarte, a huir o a evitar decir lo que piensas y lo que sientes realmente. De esta manera, te darás cuenta de que tu miedo a ser rechazado acaba de tomar el mando. Observa este miedo, acógelo sintiendo al niño pequeño que hay en ti que tiene miedo. No es malo tener miedo, solamente es humano.

ÁMATE FÍSICAMENTE

Cuanto más aceptes lo que eres, más te autorizarás a amarte en el plano físico. Al principio no será fácil, ya que cuanto más importante es la herida del rechazo, más se aleja una persona de todo placer físico.

Como las tres dimensiones materiales del ser no pueden estar disociadas, cuando se produce una transformación (física, emocional o mental), esta influye instantáneamente en los otros dos planos. En resumen, los tres planos se afectan constantemente los unos a los otros.

Sin duda, eres consciente de que desde hace unos treinta años, todos sufrimos cada vez más contaminación –aire, sonidos, alimentos y bebidas tóxicas, ondas electromagnéticas–, lo que está afectando a nuestra energía y nos provoca cada vez más estrés. De manera incesante, todos tenemos que hacer trabajar a nuestro sistema inmunitario para paliar estas sustancias tóxicas. Por lo tanto, es más urgente que nunca que cada uno de nosotros haga todo lo que esté en su poder para ayudarse a sí mismo, lo que significa tomar decisiones en función del amor hacia uno mismo.

Te recuerdo que los tres cuerpos tienen que estar al servicio de tu ser, es decir, lo material al servicio de lo espiritual. En este libro, he insistido, sobre todo, en el aspecto espiritual y, por lo tanto, en el amor verdadero, en la aceptación de todo nuestro ser, ya se exprese por comportamientos negativos o positivos. Las sugerencias descritas más adelante tienen que ver con los planos físico y psicológico; si las conviertes en hábitos te ayudarán a ser tu propio maestro en lugar de dejarte controlar por lo que proviene del exterior de tu ser.

A continuación te muestro varias herramientas que te ayudarán en el plano físico, y que serán todavía más eficaces si dedicas un tiempo a sentir el placer vivido por tu cuerpo.

Ten cuidado con tu alimentación

Tómate la molestia de probar nuevos alimentos y, de esta manera, descubrir nuevas sensaciones. Muchos investigadores, como el doctor Richard Béliveau, han realizado un buen número de investigaciones, y han escrito excelentes libros sobre este tema. Para empezar, aunque no sean más que pequeños cambios, si lo haces con la intención de ayudar todo lo posible a tu cuerpo, puedes estar seguro de que este lo sentirá, lo que marcará una gran diferencia en ti.

Sin embargo, te invito a utilizar bien tu discernimiento, ya que existen muchas escuelas de pensamiento sobre el tema de la alimentación recomendada para las personas que padecen cáncer. Por ejemplo, la medicina china sugiere comer carne, sobre todo de cerdo. La medicina india (ayurveda), por su parte, propone una alimentación vegetariana, acompañada de productos lácteos y de azúcar para tener una dieta equilibrada. Por último, la medicina naturópata occidental aconseja evitar el azúcar y los productos lácteos.

Lo más importante es que las elecciones respecto a tu alimentación estén motivadas por el amor hacia ti mismo y no por el miedo. De lo contrario, caerás en la rigidez y cualquier tropiezo generará culpa y más miedo, lo que no ayuda en absoluto a sanar.

> Para saber si lo que te mueve es el amor hacia ti mismo y no el miedo, pregúntate si te seguirás alimentando así si el cáncer desaparece.

Con cualquier cosa que elijas ingerir —alimentos, bebidas, medicinas—, tu primera intención siempre tendría que ser la de ayudarte a volver a encontrar tu energía natural, es decir, una energía que circula bien, que no está bloqueada. Si lo haces por miedo a sufrir, a estar enfermo o a morir, lo que ingieras te quitará energía en lugar de dártela. Y funciona así para cualquier tipo de ayuda. Si, por ejemplo, consultas a un osteópata únicamente para que te suprima el dolor, siempre será un eterno nuevo comienzo. Pero si lo que buscas es volver a contactar con tu energía natural, la ayuda de este terapeuta tendrá efectos muy diferentes en ti. **Todo está en TU intención y no en las personas que te ayudan**. Solo tú tienes el poder de cambiar tu vida.

Disfruta más de los alimentos

Al comer lentamente y autorizándote a saborear, disfrutarás más de la vida y el plano sexual mejorará notablemente. De hecho, el placer sexual tiene una conexión directa con la capacidad de disfrutar.

Empieza el día con ejercicios físicos

Entre los ejercicios de estiramientos que elijas, asegúrate de estirar bien los brazos hacia atrás, lo que ayuda a abrir el tórax que, generalmente, tiende a contraerse con la herida del rechazo. Estudios realizados por el Fondo Mundial para la Investigación Contra el Cáncer también han demostrado que la actividad física está asociada con una disminución importante del riesgo de padecer ciertos tipos de cáncer. Sin duda conoces todos los beneficios del ejercicio físico, principalmente la prevención de enfermedades cardiovasculares; entonces, ¿por qué no? Te mereces otra muestra de amor por ti, ¿no es así?

Respira aire puro todos los días

La medicina china asegura que todo cáncer tiene una relación con los pulmones y la piel (los dos órganos de la respiración), que no aspiran suficiente aire. Existe un bloqueo en este nivel que muchos acupuntores tratan en el caso del cáncer. Todos sabemos muy bien que el aire es la necesidad primordial de todos los seres que vivimos en la Tierra. Es durante la primera inspiración cuando empieza la vida y durante la última espiración cuando se detiene. Por esto es por lo que los pulmones son el símbolo de la vida y de la muerte. Por lo tanto, es muy importante tener el buen hábito de respirar mejor.

Cuando inspiras, dedica un tiempo a sentir que el aire llena bien tus pulmones, mientras se dilatan las costillas. Aunque solo dediques cinco minutos por la mañana y cinco minutos por la noche a respirar así, preferiblemente en el exterior, tu cuerpo lo agradecerá.

El hecho de respirar de manera moderada ayuda mucho a calmar la mente, dejando, de este modo, todo el espacio a la vocecita de tu corazón. También se ha demostrado que una buena respiración regula la circulación sanguínea, ayudando de esta forma a irrigar mejor todos los órganos.

¿Te ha pasado alguna vez que al ir a la consulta de un médico, un terapeuta, un masajista, un estilista... el profesional en cuestión ha llegado corriendo, y casi sin aliento ha comenzado a hablarte o tocarte? A mí me ha ocurrido un par de veces y he jurado no volver jamás por allí. ¿Cómo puede escuchar a su paciente en tal estado, en contacto directo con su propio estrés?

Si esta persona dedicara, aunque solo fueran unos minutos, a respirar bien, los resultados mejorarían mucho. Además, está claro que alguien así no se preocupará de que tú respires bien. A menudo me digo que si todos los terapeutas recordaran a sus pacientes que deben tomar unas buenas respiraciones durante el tratamiento, los resultados mejorarían enormemente.

Esto me recuerda al estrés que siento cuando acudo al dentista para una limpieza. Aún no he entrado en su consulta y ya estoy deseando salir. De hecho, solo las respiraciones que hago durante el tratamiento me ayudan a no estar tensa. Aunque el higienista dental y el odontólogo sean amables y muy eficaces, ninguno de los dos se preocupa de mi respiración.

Unos minutos de respiración profunda, consciente y silenciosa varias veces al día también resultan muy beneficiosos. Sé que con la vida cada vez más trepidante que llevamos, es especialmente difícil concederse unos momentos a solas y en silencio. Sin embargo, precisamente a causa de este ritmo desenfrenado lo necesitamos más que nunca.

> Si no podemos estar solos con nosotros mismos, ¿cómo podemos esperar que los demás deseen nuestra compañía?

La respiración a través del corazón requiere otro método que empieza a ser cada vez más popular y que yo misma practico con frecuencia. Su popularidad ha sido posible gracias al Instituto estadounidense HeartMath,[1] donde varios médicos y científicos han hecho descubrimientos sorprendentes, por ejemplo, que este tipo de respiración ayuda a cambiar el ADN.

En resumen, esto es lo que sugieren: para ayudarte a salir de la influencia de la mente o de algunas emociones, dirige tu atención a la zona del corazón. Finge que inspiras y espiras a través de tu corazón para ayudarte a mantener tu atención en este lugar. Respira de esta manera por lo menos diez veces diciendo mentalmente: «Inspiro —pausa—. Espiro —pausa—». Esta práctica provocará una armonización cardiaca.

Camina

El hecho de respirar bien tendrá mucha más eficacia si lo acompañas de un paseo, por una zona verde si es posible, o aún mejor, en la montaña. ¿Ya has oído decir que en nuestras ciudades, la atmósfera se llama ahora *tecnosfera*? Estamos bombardeados por múltiples ondas que emanan de las señales de radio, televisión, WiFi, móviles, Bluetooth... y siguen añadiéndose más. Es, por tanto, muy importante encontrar un rincón «natural» para caminar.

Sé que para los habitantes de las grandes ciudades, no siempre es fácil encontrar un rincón de estas características cerca de casa, pero debería ser posible hallar un parque que, a pesar de todo, tendrá mejor atmósfera que la casa o el lugar

---

1. Hace referencia al libro *L'intelligence intuitive du coeur: La solution Heart-Math*, de Doc Childre y Howard Martin.

de trabajo. Durante las vacaciones, puedes dedicarte a encontrar un lugar más sano y estimulante para caminar.

Por otro lado, el hecho de caminar a la orilla de un río, de una catarata o del mar también ayuda a fortalecer tu sistema inmunitario, ya que el movimiento del agua te permite, entre otras cosas, limpiar tus cuerpos sutiles (mental y emocional) de sus toxinas. Caminar moviendo los dos brazos proporciona un masaje a todos los órganos internos, al tiempo que los fortalece. En resumen, caminar es, sin duda, el mejor ejercicio para el cuerpo, además de una actividad deportiva fácil de realizar y gratis. Caminar resulta todavía más importante si pasas el día en el interior –sobre todo en posición sentada– debido a tu trabajo.

Lleva ropa colorida

¿Eres de los que llevan ropa principalmente negra? Si tu respuesta es sí, es tu herida de rechazo la que te lleva a hacerlo; crees que de esta manera sufres menos, ya que el negro te impide sentir tu entorno. Pero lo que olvidas es que los demás tampoco te pueden sentir. Las personas con la herida de injusticia, en general, también prefieren el negro, pero su motivación es diferente. Creen que parecen más delgadas, lo que es muy importante para ellas. El mundo de la moda se ha dado cuenta de esta preferencia y la utiliza para ganar adeptos, lo que contribuye a mantener la existencia de estas dos heridas.

Todo lo que vive posee un color, y cada color se asocia a una energía diferente.

Por ejemplo, los sonidos y las palabras liberan un color. El cuerpo está constituido por los siete colores del arco iris, y todos necesitamos diferentes colores para compensar lo que nos falta, y esto todos los días. Captamos colores a través de lo que llevamos, observando la naturaleza, por la coloración de nuestros alimentos, etc. ¿Alguna vez has pensado en qué aburrido sería si siempre te sirvieran alimentos negros o si vivieses en una casa donde no hubiese más que negro por todas partes? Tienes que saber que tu cuerpo se siente así cuando solo eliges llevar negro.

Muchos clientes de *Écoute Ton Corps* han empezado poco a poco a llevar ropa de color y, al hacerlo, han podido experimentar cambios sorprendentes y maravillosos en su vida. Hacer el esfuerzo de atreverte a llevar más colores y, por lo tanto, de transformar tu aspecto físico te ayudará a iniciar una transformación psicológica. Por otro lado, si ya has empezado una transformación en los planos mental y emocional, el hecho de querer llevar ropa de un color diferente te será más fácil.

Exponte más al sol

El sol es el símbolo de DIOS. Representa la vida, la energía, la fuerza, el calor, etc. Sin sol, ninguna forma de vida puede existir en la Tierra. ¿Tal vez exista una conexión entre el hecho de que el ritmo de vida de las personas se vuelva cada vez más rápido, que pasen el día en el trabajo y la tarde delante de la televisión o del ordenador, con menos exposiciones al sol, y que los niveles de cáncer aumenten? Algunos investigadores afirman que sí.

Estoy escribiendo este libro en México, a la orilla del mar, y no puedo dejar de observar hasta qué punto la mayoría de las personas no tienen ningún equilibrio en su exposición al sol. De hecho, la mayoría de ellas pasa una buena parte del año con falta de sol y, cuando se encuentran en la orilla del mar durante las vacaciones, abusan de él, exponiéndose muchas horas al día, e incluso a mediodía, cuando por todos es conocido que los rayos están a la máxima potencia.

Muy poco acostumbrado a estar expuesto de esta manera, el cuerpo no puede hacer otra cosa que sentirse atacado, no respetado, por esta actitud. El aumento de los cánceres de piel indica que la persona ha ido más allá de sus límites. Probablemente es de los que se controla mucho durante todo el año y, durante sus vacaciones, pierde el control y ya no sabe reconocer sus límites en los diferentes ámbitos.

Cuanto más aumentan estos cánceres, más miedo tenemos, añadiendo otro factor a este sorprendente aumento que prevalece desde hace más de veinte años. Este miedo causa estragos, aunque podríamos prescindir de él fácilmente. De hecho, menos del 1% de las personas mueren de cáncer de piel, mientras que un gran porcentaje fallece de cánceres asociados a la falta de sol, el cual nos es absolutamente necesario por su aportación de rayos ultravioleta B, que producen vitamina D y ayudan en la absorción del calcio.

En el plano metafísico, el sol representa a tu DIOS interior, así como a tu luz y tu poder divino. Por consiguiente, el hecho de estar expuesto a los rayos del sol de una manera equilibrada indica que estás en contacto con tu gran poder de crear tu vida de una manera igualmente equilibrada. En el caso contrario, pasas de la creencia de que no puedes crear lo que quieres a la decisión de querer demasiado o de forzarte demasiado para conseguir tus fines. Seguramente te falta equilibrio en tu fe interior.

¿Por qué no unir el caminar con la absorción de sol tanto como sea posible, mientras haces un buen ejercicio de moderación? Un 98% de la luz solar penetra en nosotros a través de los ojos, y esta luz tiene un gran poder energético y de curación. El otro 2% lo absorbe la piel para producir vitamina D, que al parecer reanima el sistema inmunitario, y está reconocido que ayuda a prevenir el cáncer, así como las enfermedades autoinmunes. Por lo tanto, se recomienda llevar gafas de sol cuando hay peligro de deslumbramiento que te impida ver bien, conduciendo el coche, por ejemplo. Sin embargo, el cuerpo puede reaccionar erróneamente por el mensaje que recibe con las gafas de sol oscuras. Al creer que está a la sombra, es normal que el cuerpo olvide multiplicar las células de la capa superficial de la piel para hacerla más sólida y menos permeable a la radiación. Y, del mismo modo, no puede estimular la producción de melanina, que tiene la propiedad de absorber los rayos ultravioletas (UVB) y, por lo tanto, de proteger la piel.

Concédete pequeños placeres

Cuanto más importante es tu herida de rechazo, más difícil es gustarte físicamente. Cuando te compras algo, no tiene que ser solamente porque lo necesites.

> Autorízate a comprarte algo que no necesites, solamente por el placer de utilizarlo.

Por qué no empezar diciéndote: «¿Qué me gustaría hoy?». Cualquiera que sea la acción, por pequeña que sea, ¿por qué no permitírtela? Te mereces muchos pequeños y grandes placeres todos los días. Por ejemplo, no es necesario que esperes a estar muy cansado o a tener dolor de espalda para ofrecerte un masaje. De hecho, este tipo de curación es imprescindible para los que sufren de rechazo, ya que les ayuda a desarrollar su capacidad de poder sentir su cuerpo.

Bebe mucha agua

Esta última recomendación es la más importante, pero por desgracia en el mundo occidental no estamos todavía mentalizados. Por el contrario, en Asia es una práctica asumida. La medicina oriental considera que hay dos causas principales para todos los problemas de salud, tanto de orden físico como psicológico: una, microbios, bacterias o virus; y la otra, niveles altos de acidez en el organismo (provocados por la falta de agua).

No puedo acostumbrarme a mirar a mi alrededor y comprobar hasta qué punto la gente bebe poca agua. Rara vez encuentro a alguien que beba sus dos litros de agua al día, lo que, sin embargo, es INDISPENSABLE para el buen funcionamiento del cuerpo. Por otra parte, no tenemos que esperar a tener sed para beber, ya que entonces el agua se absorbe demasiado rápido y demasiada a la vez. De ese modo pasa directamente, como cuando se riega en exceso una planta muy seca y el agua acaba por el suelo. La planta no tiene tiempo de absorber el agua, y lo mismo le ocurre a nuestro cuerpo, que rápidamente necesitará ir al baño.

Si tu respuesta es que no bebes porque nunca tienes sed, esto indica que tu cuerpo ha decidido no compartir contigo sus necesidades, porque no lo escuchas desde hace demasiado tiempo. Con el fin de volver a encontrar la capacidad de sentir la sed, primero tendrás que crearte una disciplina. Este es otro buen medio para ayudarle a sentir más a tu cuerpo, lo que a su vez te ayudará a darle amor.

También es importante que recuerdes que los diferentes líquidos que absorbes no están incluidos en los dos litros de agua que tienes que beber. El agua debe ser pura y natural para limpiar el ácido que se produce por casi todo lo que ahora ingerimos. En la actualidad, podemos ver en el supermercado todo tipo de agua a la que se han añadido colorantes u otras sustancias. Estas aguas y, sobre todo, los líquidos azucarados, no hacen más que añadir más ácido a tu cuerpo. ¿Te quieres lo suficiente para ayudar a tu cuerpo? Elegir hacerle daño es otra muestra de falta de autoestima.

QUERERTE PSICOLÓGICAMENTE

Las siguientes son varias herramientas para ayudarte en el plano psicológico:

Estar atento a los pensamientos que mantienes

¿Te ayudan a dirigirte hacia lo que quieres ser o hacia lo que no quieres que ocurra en tu vida? Cuando no puedes dormir y no dejas de pensar en algunos acontecimientos del día, o hasta qué punto te has sentido rechazado por un miembro de tu familia o un amigo, estos pensamientos, ¿te hacen sentir bien? ¿Piensas, tal vez, en una persona determinada por la que a menudo te sientes rechazado, pero que no te atreves a decírselo o lo guardas todo dentro de ti?

Te recuerdo que, debido a la negación, que es muy frecuente en los que sufren de rechazo, es posible que llegues a autoconvencerte de que no vives ningún rechazo. Y, sin embargo, piensas constantemente en el daño que te ha hecho la otra persona, lo que es claramente una señal de gran sufrimiento. Cuantas más vueltas le das, más fuerte es tu dolor. Aunque te digas que te gustaría mucho dejar de pensar en tal o cual incidente que te hace daño, ¿lo consigues? Si es que no, es la herida de rechazo la que te hace tener esas fijaciones.

Por el contrario, te gustaría tener el coraje de expresar tu manera de pensar a los que te han herido, pero no lo consigues. ¿Te has dado cuenta de que cuando mantienes esos pensamientos, la situación se agrava, ya que tu imaginación termina por deformar la realidad? Esta realidad está muy influenciada por las partes de ti que sufren, pero igualmente por tu ego, que ha tomado el control debido al miedo que sientes. Si pudieras, más bien, imaginar que haces las paces con estas personas, esto desencadenaría un acto de amor hacia ti mismo.

Cuando leemos las investigaciones y descubrimientos del doctor japonés Masaru Emoto, comprendemos el poder de nuestros pensamientos. De hecho, el doctor Emoto ha demostrado con notables fotografías hasta qué punto los pensamientos y las palabras afectan a la calidad del agua. Al saber que nuestro organismo está compuesto en un 65% por agua, símbolo de nuestro cuerpo emocional, podemos entender, de entrada, hasta qué punto nuestras emociones, principalmente la ira y el rencor, tienen una influencia en la salud del cuerpo.

Por esto es tan importante seguir siendo el dueño de tus pensamientos y tus sentimientos, más que dejarte influenciar por todo lo que percibes como negativo o por las palabras y creencias de los demás. Pienso, entre otras cosas, en una mujer que tenía que ver a su médico para saber el resultado de sus exámenes, tras el descubrimiento de un bulto en un pecho. Al tener miedo del diagnóstico, la mujer le pidió a su hija —embarazada de su primer hijo— que la acompañase. El médico le planteó las preguntas habituales sobre los antecedentes de su familia, si su madre u otros miembros de sexo femenino tuvieron cáncer, etc. Cuando respondió que nunca había habido cáncer en su familia —y que ninguna de sus hermanas lo padecía—, el médico se volvió hacia la hija de esta mujer y le dijo:

—Bueno señorita, ahora que sabe que su madre tiene un cáncer, prepárese, ya que se convierte en una buena candidata para sufrir también uno. Por lo tanto, tendrá que ser muy prudente durante los próximos años y hacerse revisiones periódicas.

Madre e hija salieron de ese encuentro en estado de *shock*, aunque eran conscientes de que el médico simplemente creía firmemente en las estadísticas y su intención no era asustarlas. Al conocer bien el poder del pensamiento, la madre se mantuvo firme y convenció a su hija para que no se sugestionara con lo que acababa de escuchar.

Acuérdate de que nunca podrás controlar lo que los demás creen o dicen, pero puedes decidir ser el único dueño de tus propios pensamientos y, por consiguiente, de tus palabras, las cuales siempre son un reflejo de lo que piensas.

Tener un sueño reparador

¿Sabes que el subconsciente repite durante toda la noche el último pensamiento que has tenido antes de dormirte? Por ese motivo no es recomendable leer un libro o ver una película con contenido violento, y aún menos escuchar todas las malas noticias del día en la radio o en la televisión antes de ir a la cama. Cuántas personas tienen una televisión en su habitación y se duermen cada día con la última imagen de escenas de violencia.

¡Pobre mente! No tiene ninguna oportunidad de poder regenerarse durante la noche, siendo esta la razón principal del sueño. ¿Por qué? Porque durante el sueño, tus cuerpos sutiles —emocional y mental— necesitan dejar tu cuerpo físico, dando, de esta manera, a tus tres cuerpos descanso y regeneración. Cuanto más agitada y ansiosa está la mente durante la noche, más dificultades tienen los cuerpos sutiles para relajarse. Esto explica por qué algunas personas duermen durante varias horas, pero se despiertan tan cansadas, o más, que el día anterior.

Otras, dormidas frente al televisor encendido, tienen la impresión de no dormir. Los cuerpos sutiles se relajan, pero permanecen muy cerca del cuerpo físico, en vez de ir a regenerarse a otras esferas, lo que explica el hecho de que escuchen de lejos lo que ocurre en la televisión. Por lo tanto, el subconsciente absorbe todo lo que se dice en la televisión, aunque la persona esté inconsciente o duerma toda la noche mientras el aparato está encendido.

La idea de sumergirte en una lectura inspiradora es excelente, pues tiene la ventaja de poder elevar tus vibraciones de amor y estima, aunque solo sea por un corto periodo de tiempo (cinco minutos, por ejemplo). Si, a pesar de todo, tienes dificultades para dormir debido a la gran actividad mental que no consigues detener —inquietudes, obsesiones, emociones, etc.—, lo mejor es levantarte y escribir todo lo que pasa por tu cabeza. Después, termina tu lista con lo que quieres que se produzca en esta situación. Cuando vuelvas a la cama, visualiza solamente aquello que quieres.

También puedes repetir una frase que exprese bien lo que deseas que ocurra, por ejemplo: «Veo la buena intención de Sophie en lo que hoy me ha dicho», o «Comparto con mi jefe lo que vivo con él y que aún no me he atrevido a decirle». Si puedes visualizarte haciéndolo y sintiendo la felicidad de haberlo conseguido mediante la repetición de estas frases, a continuación recibirás mucha energía para lograrlo. Sin embargo, te recuerdo que es muy importante respetar tus límites. Aunque tengas que repetir este tipo de frases durante semanas antes de poder conseguirlo, al menos, día a día, te refuerzas en los planos mental y emocional.

Si, actualmente, sufres un tumor canceroso, añade a lo anterior la visualización de este tumor bañándose en una piscina de luz y la sensación brillante que esta produce. Deja que tu luz divina te dé energía, ya que está en contacto con las necesidades de tu alma.

Dar las gracias

¡Qué palabra tan importante! ¿Alguna vez te has dado cuenta de cuántas veces al día les das las gracias a los demás? ¿Y a ti? ¿Te das las gracias? Estoy convencida de que piensas más a menudo en dar las gracias a los demás que a ti, aunque tendría que ser todo lo contrario. ¿Por qué? Porque con las

heridas de rechazo y de injusticia, es normal ser muy perfeccionista y muy exigente, al tiempo que es necesario hacer
algo excepcional para reconocerte y pensar en darte las gracias. Como te faltará un poco de práctica, es normal que al
principio sea más difícil.

Sin duda, sabes que cuanto más practicas algo nuevo,
más fácil es asimilarlo. Se dice que un hábito se tiene que
practicar durante al menos tres meses antes de que el cerebro
pueda establecer nuevas conexiones para facilitarte la tarea.
Al principio tal vez necesites recordártelo de alguna manera.
Por ejemplo, podrías colocar una notita cerca de la cama para
que te recuerde nada más levantarte que durante la jornada
que empieza debes dar las gracias como mínimo tres veces.
De esta manera, dar las gracias se convertirá, poco a poco,
en un hábito que atraerá todo tipo de situaciones agradables
a tu vida.

> No solo damos las gracias porque recibimos; también
> recibimos porque damos las gracias.

Ver la cualidad en un defecto

Esto implica empezar a ser más consciente de lo que
consideras tus «cualidades» y «defectos». Pienso especialmente en una persona que tenga el «defecto» de la agilidad
mental. Dicha agilidad les permite contestar muy certera y
rápidamente. El problema surge cuando esa tendencia se encuentra reprimida por temor al rechazo, y solo se utiliza en
explosiones de ira, cuando la persona se siente contra las

cuerdas y lanza respuesta tremendamente hirientes. Es decir, lo que considera un defecto es en realidad una cualidad que al estar reprimida no es utilizada ni en el modo ni en el contexto correctos.

Por lo tanto, tómate un tiempo para elaborar una lista de lo que consideras «tus defectos». A continuación, anota al lado de cada uno de ellos la cualidad que necesitas para activar ese defecto. Te darás cuenta de que, en realidad, no se trata de un defecto, sino de una cualidad que no se ha utilizado en el contexto adecuado ni de manera correcta. Al darte el derecho a no saber utilizar siempre esta cualidad, poco a poco conseguirás utilizarla como deseas.

Ver solo belleza

La belleza es la gran necesidad del cuerpo emocional. Asegúrate de rodearte solamente de los bienes que consideras bonitos, pero sin tener por ello que gastar una fortuna. La belleza está por todas partes. Tan pronto como una de tus posesiones te parezca sosa o deslucida, dala, véndela o tírala para hacer sitio a algo nuevo. La siguiente tarea seguramente te ayudará a lo largo de los próximos días: da una vuelta por tu casa y comprueba lo que encuentras bonito de cada objeto. Se dice que una persona inteligente solamente adquiere cosas que le aportan una o varias utilidades. Ten en cuenta que la belleza es de gran utilidad.

Cuántas personas conservan muchos trastos viejos porque aún están en buen estado, aunque no aporten ninguna belleza a sus vidas. Pienso en una pareja de edad bastante avanzada; uno de los dos quería cambiar el mobiliario del salón, que tenía treinta años de antigüedad, mientras que el otro se negaba con el pretexto de que aún se encontraba en buen estado. Diez años más tarde, todavía tienen los mismos muebles. Si pueden permitírselo económicamente, ¿por qué privarse de esa pequeña felicidad que alimentaría su cuerpo emocional?

La belleza es una herramienta excelente para desarrollar tu sensibilidad, al igual que la música.

No solo todo lo que vive tiene un color, como he mencionado anteriormente, sino que también posee todos los sonidos. Si escuchas una música con ritmo y no puedes sentirla y dejar que tu cuerpo se mueva, es que estás demasiado separado de tu entorno. Te recuerdo que uno de los mayores modos de curar la herida del rechazo es saber y sentir que formas parte del gran todo. Si te sientes solo y separado de tu entorno, es porque lo has decidido. Nadie tiene el poder de separarte de lo que te rodea excepto tú.

Tomarte la vida menos en serio

Esto implica aprender a dejarse ir y reír más.

Dejarse ir significa estar bien, aunque los resultados previstos en una situación no concuerden con lo que se desea. Es imposible controlarlo todo.

De hecho, el término «controlar» es lo opuesto a dejarse ir. Al confiar en tu DIOS interior, que siempre sabe lo que necesitas, aunque una persona o una situación no encajen con lo que esperabas, ten en cuenta que hay una buena razón y que la conocerás de aquí a poco tiempo. Esto será posible en el momento en el que seas capaz de aceptar tu responsabilidad y de ver lo que esta situación o esta persona pueden enseñarte.

Como mencioné en el segundo capítulo en relación con el ADN, se ha demostrado que reír aporta un número incalculable de beneficios, de los cuales el más importante es, según mi opinión, la facultad de reforzar el sistema inmunitario. *La risoterapia* ya existe desde hace varios años, y se le han atribuido innumerables curaciones. Si tienes dificultades para encontrar la vida divertida, nada te impide alquilar películas cómicas.

Para conseguir reírte de las situaciones y de ti mismo en vez de rechazarte, te sugiero que antes practiques el sonreír más. Aunque en ese momento no tengas nada que te incite a sonreír, fuérzate a hacerlo con la boca, y poco a poco conseguirás hacerlo con los ojos. ¿No has notado lo bien que te sientes cuando alguien te muestra una bonita sonrisa? Pues tienes que saber que tu propia sonrisa tiene el mismo efecto sobre ti mismo y sobre los demás. Acuérdate de que es únicamente por ti por lo que actúas de esta manera y que te mereces ampliamente adoptar tales costumbres.

Vivir el momento presente

Sabes que vives tu momento presente cuando dedicas un tiempo a apreciar lo que ocurre en ese instante. Por ejemplo, si te impones comer de una cierta manera o caminar todos los días con la esperanza de curarte actuando así, no estás en tu momento presente, sino más bien en el futuro. No tienes que aspirar a la curación, sino, más bien, a vivir pequeños momentos de felicidad a cada instante.

> La felicidad solo puede estar presente en el «aquí y ahora».

Cuando huyes de una situación o la niegas, para no dedicarle el tiempo de sentir, sin duda, no estás en tu momento presente, no más que cuando estás esperando. Por otra parte, la mayoría de las personas enfermas están en la espera: la espera de los resultados de los exámenes, de la cirugía y de los resultados posteriores, de la atención de los familiares, de ser comprendido, de haber recuperado su energía, del anuncio de la curación definitiva... y de una probable recaída.

Cuando te encuentras con un miedo, el método más rápido y eficaz para volver a tu momento presente es el de realizar unas cuantas respiraciones profundas, sentir el miedo y, simplemente, autorizarte a tener ese miedo en el momento. A continuación, te preguntas lo que quieres en esa situación y diriges tu atención y tu energía hacia ese objetivo agradable, en lugar de hacia lo que no quieres que ocurra.

> Cada visualización basada en tu autoestima y en tus necesidades —y no en un miedo— se manifiesta automáticamente según el grado del «sentimiento» vivido en ese preciso momento.

Más adelante te darás cuenta de hasta qué punto este tipo de aceptación tiene el poder de volver a ponerte en contacto con tu gran don de crear la vida que quieres. Te recuerdo que esta noción de aceptación, establecida a partir del ámbito espiritual, no siempre es fácil de poner en práctica debido a la interferencia del ego. Pero si tomas la buena costumbre de aceptar tus miedos a medida que se manifiesten, lo conseguirás de una manera cada vez más fácil. Tu capacidad de apreciar todo lo que te rodea también llegará más rápidamente. Es imposible para cualquier persona vivir solo momentos desagradables en su vida. Entonces, ¿en qué decides centrar tu atención?

Tener objetivos

Es importante que te fijes objetivos que te ayuden a dirigirte hacia lo que quieres. ¿Cuáles son tus objetivos a corto y a largo plazo? ¿Sabes lo que quieres, lo que te gustaría? Y, sobre todo, no olvides lo siguiente: el hecho de manifestar tu deseo, ¿qué te ayudará a SER?

Esto es lo que tienes que recordar: tus deseos, tus objetivos, siempre tienen que estar al servicio de lo que quieres ser. No tienes que esperar a estar seguro de que todas las circunstancias sean perfectas para autorizarte a tener un objetivo, ya que hay muchas probabilidades de que dejes de lado varias buenas oportunidades. Este tipo de actitud a menudo está presente en los perfeccionistas, que tienen la creencia de que no alcanzar estos objetivos es un fracaso, lo que los conduce a rechazarse más, y a persuadirse de que no hay ninguna razón válida para seguir teniéndolos.

Sin embargo, tu corazón expresa todo lo contrario. Te dice, entre otras cosas, que tengas varios objetivos en tu vida, pero dejándote llevar, lo que se logra fácilmente cuando tienes confianza en tu poder interior, que siempre te hace conseguir lo que necesitas, en el momento en el que lo necesitas.

Tener objetivos, estar impaciente por algo, tener ganas de levantarte por la mañana con la idea de dirigirte hacia algo que te ENTUSIASME desde tu interior es definitivamente un excelente alimento para tu cuerpo emocional y te aporta mucha energía. Una persona sin objetivos muere a fuego lento, al no alimentar lo suficiente a su cuerpo emocional.

Nada te impide realizar acciones en función de lo que quieres, pero siempre recordándote que si esto no se produce, es solamente porque hay algo mejor para ti que te está esperando. Sobre todo, tienes que recordar que NO ERES UN FRACASO, NO ERES LO QUE HACES. Eres un ser espiritual que está en la Tierra para vivir experiencias.

> De esta manera, podemos decir que en la vida nunca hay fracasos o errores, solo experiencias para aprender de uno mismo.

De hecho, nuestro ego no sabe que tenemos que experimentarlo todo para conseguir aceptarnos, tanto en nuestros aspectos positivos como negativos.

Atreverte a expresarte más

Se dice que «el dolor es la consecuencia de la falta de palabras». Me parece que este dicho es muy acertado y que puede aplicarse, además, a todas las enfermedades. Cuanto más graves son estas —y aquí incluyo las mortales—, más urgente es que te expreses. Atrévete a hablar de ti, de lo que sientes en lo más profundo de tu interior, en lugar de creer que no tienes nada que decir que sea lo bastante importante para que los demás estén interesados en escucharte. Aunque al principio seas torpe, acuérdate de que con la práctica, todo se vuelve más fácil.

Sin embargo, debes expresarte con el objetivo de liberarte y no con el objetivo de que te comprendan. Los demás tienen derecho a no entenderte o a no estar interesados en tus palabras. Basta con que compruebes si la otra persona quiere dedicar un poco de tiempo a escucharte. Eso es todo. Sin embargo, recuerda que no está obligada a estar de acuerdo con tu petición de escucha.

> Si una persona te dice que no, no te está rechazando, solo expresa su propia necesidad.

Al hacerlo, recibes el mensaje de encontrar a otra persona a la que hacerle la petición. Es tu DIOS interior el que sabe que hay alguien más que aún responde mejor a tu necesidad. Por lo tanto, te corresponde a ti encontrar a esa persona, pero para esto, necesitas hablar, dar a conocer tu intención.

En la manera que tienes de expresarte, diriges tu atención a las palabras que utilizas, por ejemplo: «Mi cáncer», «Nunca podré conseguirlo», «Tengo miedo de una recaída», etc.

¿Por qué no reemplazarlas por: «El cáncer», «Lo conseguiré poco a poco», «Le doy a mi cuerpo el tiempo que necesite para volver a su estado natural»? ¿Puedes sentir la diferencia de sensaciones en ti entre las dos maneras de expresarte?

Te recuerdo que el subconsciente solo trabaja con las imágenes asociadas a las palabras que utilizas. Por ejemplo, cuando dices: «Estoy harto de estar enfermo», o «Ya no quiero estar enfermo», tu subconsciente ve o percibe las imágenes de una persona enferma. Para facilitarle la tarea, tienes que afirmar lo que quieres, de manera positiva, estando, sobre todo, atento a no utilizar frases que contengan NO.

Cambiar de etiqueta

Es lamentable comprobar cuántas personas que sufren tal o cual enfermedad son etiquetadas, clasificadas en una categoría, como si fuese irreversible: «Mi cuñado tiene cáncer, un padecimiento cardiaco, es asmático, alcohólico, bipolar, etc.».

Y tú, ¿te etiquetas? Cada vez que piensas o dices: «Estoy enfermo», estás creyendo que tú eres tu enfermedad. Acuérdate de que tú NO ERES tu cáncer.

> NO ERES tu enfermedad, ERES un ser divino muy poderoso.

Si has tenido el poder de crearte una enfermedad, un cáncer, por ejemplo, ¿por qué no utilizar este mismo poder para liberarte? En lugar de decir: «Estoy enfermo», por qué no decir: «Sufro» o «Tengo un problema de cáncer o de células cancerosas en este momento». No olvides añadir EN ESTE MOMENTO, ya que todo en este planeta es temporal. Solo tú tienes el poder de hacer que tu enfermedad sea permanente, en función de tu elección y de tu decisión.

En realidad, un cáncer no es una fatalidad, sino más bien un mensaje que recibes de tu DIOS interior, que solo quiere la felicidad y la paz para ti.

El cáncer es una oportunidad que se te da para transformarte, para amarte más. Tú eres el único responsable de la percepción que tienes de esta palabra.

Por otro lado, también se etiqueta a las familias: «Una familia de enfermos de cáncer, de alérgicos, de depresivos, etc.». Es verdad que los miembros de una misma familia nacen, en general, con planes de vida similares, con creencias y heridas parecidas. No tienes necesidad de creer que porque haya antecedentes de cáncer en tu familia, inevitablemente también tengas que pasar por esta experiencia. Esta creencia solo mantiene el miedo, y este miedo será la causa de un posible cáncer. Sabemos que la ciencia concibe la enfermedad como una alteración orgánica o funcional del cuerpo, y que se basa en estadísticas e hipótesis. Tienes el poder de seguir creyendo en esas estadísticas e hipótesis de la ciencia... o de creer que NO eres tu cuerpo físico y que te sitúas más allá de eso.

Las estadísticas no son más que pronósticos (juicios sobre la evolución de una enfermedad), no son sentencias irrevocables. Es creer en ellas lo que las convierte en tales.

El objetivo de la medicina es el de hacer desaparecer todo desorden. Es por esto por lo que muchos médicos solamente tratan los síntomas.

EL PODER DE LA CURACIÓN

¿Por qué no decir, desde ahora, que cambiando tu manera de pensar, reconciliándote con tus padres, aceptándote en todo lo que eres, tienes el poder de cambiar tu futuro y de no darles la razón a las estadísticas de tu familia y a las más generales? Te lo repito: solo tú posees este poder.

Los médicos nunca te garantizarán una curación, pues saben que un mismo tratamiento puede tener buenos resultados en una persona y menos buenos, incluso ninguno, en otra. Cuando te inflijas una herida, el médico, por supuesto, puede realizarte puntos de sutura o aconsejarte un ungüento o un medicamento. Sin embargo, sabes muy bien que no es únicamente esto lo que ha curado tu herida. Entre otras cosas, es tu cuerpo, con todo su poder de curación, el que finalmente ha efectuado el verdadero trabajo de curación.

> La medicina tiene el poder de curar, pero es la aceptación de lo que ERES lo que verdaderamente te cura.

Cada vez hay más médicos que se adhieren a esta teoría, y creen en ella lo suficiente como para prescribir un placebo a sus pacientes. La primera experiencia con este tipo de medicamento se remonta al siglo XVIII. Según un estudio realizado en 2008, el 45% de los médicos estadounidenses que trabajan hoy en día en un centro hospitalario prescriben placebos, pero solamente el 4% de ellos informa a sus pacientes. El porcentaje de personas que experimentó una mejoría después de un medicamento placebo es de un 39%. Igualmente, los médicos han realizado un estudio con el fin de determinar si existe un perfil específico de paciente más susceptible al efecto placebo, pero sin éxito.

Curiosamente, se ha demostrado que los médicos (o los terapeutas) que dedican un tiempo a conversar con sus pacientes y creen firmemente que solo ellos tienen el poder de curarse, son los que obtienen mejores resultados utilizando placebos. Es decir, la fe del paciente crece cuando percibe que su médico cree en el poder de la autocuración. Al sumarse las dos fes, el placebo es doblemente efectivo. Por lo tanto, es una combinación de empatía y de escucha por parte del médico, junto con la creencia de curación por ambas partes, lo que puede engendrar efectos notables.

La naturaleza, así como el cuerpo de los animales y de los seres humanos, es la farmacia más sofisticada y más imponente del mundo. En primer lugar, es gratuita. La capacidad que posee nuestro cuerpo de segregar automáticamente endorfinas tan pronto como nos sentimos felices es un buen ejemplo, y resulta mucho menos caro y nocivo que la morfina. La buena noticia es que somos la única especie en la Tierra que tiene el poder de decidir ser feliz. Y tú, ¿decides ser feliz o infeliz?

También se ha probado que una actividad física asidua (caminar rápido, montar en bicicleta, nadar, etc.) con una duración de al menos treinta minutos al día, a un ritmo constante, aumenta de forma natural la producción de endorfinas, las cuales también se liberan naturalmente después de un orgasmo. Sin embargo, hay que saber que las endorfinas se degradan rápidamente, y que su efecto benéfico es corto. Por lo tanto, es importante divertirse tan a menudo como sea posible o intentar buscar siempre el lado divertido de una situación.

Es interesante comprobar cómo la herida de rechazo afecta al ámbito sexual; las personas que la sufren suelen tener muchas dificultades para alcanzar el orgasmo, y no es un problema de frialdad. Más bien la contrario: son personas muy sensibles que no se creen merecedoras de ese gran placer físico, y lo bloquean. Si es tu caso, no te desesperes, ya que la capacidad de conseguir un orgasmo puede producirse a cualquier edad. Se trata solamente de que lo decidas y que te autorices. ¿Por qué no tendrías derecho a vivir esta increíble sensación de bienestar que se te ofrece de manera natural por las endorfinas segregadas?

También se ha podido comprobar que un número elevado de animales se curan más rápido que los seres humanos de un mismo problema, y que algunos incluso son capaces de regenerar un miembro amputado. ¿Por qué? Porque no tienen miedo y confían por completo en las posibilidades de su cuerpo, aunque sea de manera inconsciente. Los animales son naturales y no poseen ego. Cuando dejamos que la inteligencia de la naturaleza siga su curso, se pueden producir milagros.

He tenido el placer de escuchar miles de testimonios de personas que cuentan a la velocidad a la que se han podido curar después de un accidente, porque habían entendido el mensaje espiritual del mismo. Por ejemplo, el caso de un hombre que se rompe una pierna por dos lugares y necesita una escayola. Durante la visita al médico tres semanas después del accidente, se entera de que todo se ha curado y que, por tanto, la escayola ya no es necesaria. Los médicos a menudo se sorprenden al hacer este tipo de comprobación; la mayoría se sienten muy felices de esta curación, aunque no puedan entender cómo una persona pueda curarse en tres semanas, en lugar de en los tres meses usuales. El cuerpo humano es la creación más extraordinaria que pueda existir en nuestro planeta. Cuanto más conscientes nos volvemos, más amamos a esta máquina altamente compleja y maravillosa. Solo deseamos hacerla feliz tanto tiempo como sea posible.

Sin embargo, si crees que para ti es imposible curarte, o si atraes enfermedades para captar la atención, vas en contra de las grandes leyes del amor hacia uno mismo, y las oportunidades de curación disminuyen significativamente.

Veamos otro ejemplo de una pierna fracturada, pero vivido de una manera muy diferente. Una señora sufre dos fracturas en una pierna durante un accidente de coche. Será necesaria una operación, ya que las fracturas no son limpias. Por otro lado, su médico le dice que debería poder caminar de nuevo y volver a empezar a trabajar en seis meses a más tardar. No obstante, después de este lapso de tiempo, su pierna no parece que quiera curarse como debería. Tras otra estancia en el hospital y varios exámenes, se le dice que todo está en orden, que la operación ha sido un éxito y que no hay ninguna razón para que su pierna no se cure correctamente.

El mensaje que la señora recibió con este accidente, pero que no quería ver, es que se sentía culpable por no tener ya ganas de trabajar. No se atrevía a decírselo a su marido ni a permitírselo, ya que ambos estarían obligados a disminuir significativamente su tren de vida. El mensaje espiritual era que tenía que permitirse renunciar a su trabajo y tenía que dejar de sentirse culpable por no querer seguir trabajando. Si hubiera podido aceptar su miedo en ese momento, habría podido continuar trabajando sintiéndose mucho mejor o habría podido abandonar su empleo con confianza. Una vez completada su aceptación, habría podido, además, atraer una situación en la que, tal vez, habría encontrado otro trabajo menos difícil físicamente u otro ingreso inesperado.

Cuando se enteró de que su seguro le pagaría el 80% de su salario durante cinco años, continuó cojeando y utilizando la muleta durante todo ese tiempo, sin que la medicina pudiese hacer nada. En las semanas que siguieron al fin de la subvención acordada por el seguro médico, su pierna no tardó en curarse y volvió a trabajar.

¿Te das cuenta de hasta qué punto la intención o la motivación de una persona puede cambiar completamente una vida? ¿Qué quieres elegir en el futuro? ¿Estar motivado por el miedo y recoger resultados que estarán lejos de ser beneficiosos o estar motivado por la autoestima, que te dirigirá hacia un mayor bienestar?

Podría citarte numerosos ejemplos parecidos a este. En resumen, esta señora prefirió sufrir durante cinco años para permitirse lo que deseaba, cuando podría haber utilizado su poder para lograrlo sin sufrir. Cuando soy testigo de todas estas historias o las escucho, siempre me sorprendo del poder que tiene el ser humano para curarse... o para ponerse enfermo.

Necesitas la misma energía para dirigirte hacia lo que quieres que para dirigirte hacia lo que no quieres. ¿Cuál es la elección más inteligente?

ACEPTAR MORIR = ACEPTAR VIVIR

Acabo de hablarte de nuestro gran poder de curación, pero esta decisión de vivir tiene que estar acompañada por la aceptación de la muerte. Además, tienes que saber que esta no solo concierne a las personas que padecen una enfermedad grave. Quienes no aceptan la muerte actúan como si fuesen inmortales. He conocido a varios que, incluso padeciendo una enfermedad importante, no quieren oír hablar de la muerte. Incluso rechazan hacer testamento, diciendo que aún no son lo bastante viejos para esto. Este tipo de actitud demuestra egoísmo, así como una falta de responsabilidad, ya que parecen creer que es normal que sean sus seres queridos los que tengan que asumir todas las consecuencias desagradables relacionadas con un fallecimiento sin testamento, consecuencias que provienen de su decisión y no de la de sus seres queridos.

La muerte no es un castigo, ni un fracaso, solo es un paso hacia otra dimensión.

La muerte es necesaria para permitirnos hacer un balance sobre lo que acaba de ocurrir en la vida anterior, y nos prepara para la próxima. Se la puede comparar al sueño nocturno, que nos permite recargarnos para el día siguiente. Es una etapa natural de la vida. Incluso existen médicos que tienen miedo a la muerte, que aún creen que es un fracaso para ellos ver morir a uno de sus pacientes. Siempre he pensado que lo primero que se tendría que enseñar en la facultad de medicina es cómo ayudar a los pacientes a aceptar la muerte, mientras deciden vivir.

¿Eres de esas personas que tienen miedo de hablar de una posible muerte, ya sea la tuya o la de un ser querido? En caso afirmativo, esto significa que si tienes miedo a morir, también tienes miedo a vivir, en el mismo grado. No vives por ti, vives para cumplir con tu deber o para hacer felices a los demás. A menudo, también tienes la impresión de tener que luchar en la vida. De esta manera, no cumples tu plan de vida, por lo que tal vez deberás volver otra vez a la Tierra para volver a empezar.

Podemos comparar esta actitud con la del estudiante que no completa ninguno de sus trabajos y, como tal, siempre tiene que volver a repetir la misma clase, el mismo programa. Pero en realidad, él es el único que pierde frente a su decisión, y no castiga a nadie más que a sí mismo. Este es un comportamiento discutible, ya que esta persona se dirige hacia lo que no quiere, en lugar de hacia lo que quiere en su vida.

Si tienes dificultades para aceptar la idea de morir un día o de que uno de tus seres queridos pueda fallecer, ¿es posible que creas que el hecho de aceptar la idea de la muerte es lo mismo que si hubieses elegido abdicar en la vida, y no querer ya vivir? Si este es el caso, tienes que decirte que es tu ego el que te hace creer en tales cosas. Está convencido de que *aceptar* significa *someterse, resignarse.* Es normal para él creer esto, ya que le es imposible entender esta noción espiritual.

El hecho de aceptar que la muerte es una fase de la vida, así como que el sueño forma parte de una actividad diaria, te ayudará a liberar tus rencores, tus odios y tus obsesiones. Cuando te sientes rechazado te será útil la siguiente pregunta: «Si muriese mañana, ¿en qué estado me gustaría marcharme? ¿Todavía estando en contra o habiendo hecho las paces?».

Esto te ayudará, entre otras cosas, a saber que estás en la Tierra para aprender a vivir en el amor incondicional, así como para descubrir el ser extraordinario que eres, es decir, un ser divino. De esta manera sabrás hasta qué punto cada reconciliación y cada perdón son beneficiosos para ti, ya que responden a las necesidades de tu alma.

Cuanto más vuelvas a contactar con el amor verdadero que vive en ti, más brilla tu luz interior en ti y a tu alrededor. Podemos comparar la vida con un gran almacén sin luz. Te paseas por este lugar con una linterna. De vez en cuando, puedes ver a otras personas que se pasean con su propia linterna. Solo puedes ver lo que tu luz ilumina e identificas lo que ya conoces.

Con tan poca luz, buscas algo en particular –que podría representar la felicidad o la salud, por ejemplo– que puede estar muy lejos de ser encontrado. Acaso si no encuentras un objeto determinado en este almacén, ¿significa que no existe? Pues bien, así es la vida. A medida que tu luz crece gracias al amor que desarrollas, te das cuenta de que la realidad es muy diferente a lo que te habías podido imaginar.

CURACIÓN COLECTIVA

Hemos aprendido de Carl Gustav Jung, el famoso psiquiatra, médico y psicólogo mencionado anteriormente, que todos formamos parte de un inconsciente colectivo. De hecho, es el primero en iniciar un número elevado de investigaciones y descubrimientos sobre «los arquetipos», «el inconsciente colectivo» y «la sincronicidad». En resumen, esto significa que todos los pensamientos y todos los sentimientos vividos por cada uno de nosotros son sentidos por todos los seres que viven en el planeta. Esto explica que la actitud de un perro refleje la de su dueño, que una flor ofrecida y recibida con amor dure mucho más tiempo, etc.

Cuando me enteré de eso, mi primera reacción fue la de decirme que si la naturaleza y los animales pueden percibirlo todo inconscientemente, la raza humana tiene que percibirlo no solo así, sino también de manera consciente, debido al despertar de la conciencia que en la actualidad se está registrando en la Tierra.

Como el amor y el odio son los sentimientos más fuertes, ¿qué efecto podemos tener no solo en nuestro entorno, sino también por todo el planeta, al decidir seguir odiando en lugar de amar? El amor es el estado natural de todo ser vivo.

Centrémonos en el ejemplo de un vaso que quieres llenar de agua. Cada pensamiento contrario al amor es como una gota de agua sucia que se coloca en el vaso, y cada pensamiento de amor, una gota de agua pura. ¿De qué manera percibes tu vaso? ¿Lleno de agua impura o pura? De hecho, nunca es demasiado tarde para modificar tu manera de actuar. Cada vez que realices un acto de amor hacia ti o hacia los demás, acogiendo sin juicios lo que es bueno o malo, añades agua pura. De esta manera, sabes muy bien que el vaso de agua se purificará poco a poco.

El vaso de agua de cada uno llena un inmenso vaso que representa el estado interior de todos los seres vivos de la Tierra. Cada acto de amor, de aceptación o de odio, de rencor o de miedo contribuye al estado general del planeta. ¿Cuál es la elección más inteligente? ¿Ayudar o destruir el lugar en el que vivimos?

Como las personas que sufren la herida de rechazo creen que están solas, aisladas del resto del mundo, tienen que hacer esfuerzos suplementarios para aceptar la gran influencia que tienen sobre el resto del planeta. ¿Te ves así o te autoconvences de que al estar rodeado de personas, no estás aislado? Hablo de SENTIRTE solo y no de lo que ocurre en tu entorno.

Si es tu caso, ¿por qué no escribirte una notita recordándote que cada uno de tus pensamientos y emociones es sentido por tus seres queridos y por el resto del planeta, y colocarla en un lugar visible de tu casa? ¿Por qué no colocar otra en tu lugar de trabajo? De esta manera, empezarás a volver a tu estado natural, que es el de saber y sentir que formas parte de un gran todo. Al igual que sería ridículo que cada gota de agua o cada ola del mar se creyese que está sola. Entonces te será más fácil empezar a abrirte y a hablar de tus sentimientos.

Los terapeutas y los médicos que solo curan la parte enferma siguen animando este sentimiento de aislamiento y de disociación del resto del mundo, al igual que hace nuestro ego. La física cuántica nos muestra que todo está hecho de átomos que se comunican entre sí. Por lo tanto, es tu responsabilidad elegir a alguien que te ayude en tu globalidad para, de esta manera, poner todas las posibilidades de tu lado a fin de volver a tu estado natural, que es estar sano.

CURACIÓN DE LA HERIDA DE RECHAZO

Poniendo en práctica lo que te sugiero en este libro sobre el amor hacia ti mismo, contribuyes a curar tu herida de rechazo. Al hacerlo, tu cuerpo físico sentirá los efectos, dado que solo es el reflejo de lo que te ocurre. Si lees este libro y no padeces cáncer u otras enfermedades, aprender a amarte más es el medio más eficaz para prevenir cualquier problema de salud. Sin embargo, te recuerdo que esto no se consigue en unos días. Aprender a amarse de nuevo se logra gradualmente, y cada vez que tu cuerpo te hable por medio de un problema de salud, será un regalo para ti, ya que su objetivo es atraer tu atención sobre una situación en la que te has olvidado de amarte, de aceptarte.

En lugar de dejar que tu herida de rechazo controle tu vida corroyéndote desde el interior con tus miedos, tus obsesiones, tu creencia de ser un inútil, sin valor, de no ocupar tu lugar, aislado de los demás, volverás a tu estado natural, que es:

- Poder aprender más, al estar dotado de una mayor capacidad de trabajo.
- Ser desenvuelto, tener una buena capacidad de crear, de inventar, de imaginar.
- Ser capaz de trabajar solo o en grupo, sintiéndote bien.
- Pensar en innumerables detalles sin estar estresado.

- Ser capaz de reaccionar; hacer lo que hace falta en caso de urgencia.
- Poder jubilarte con la cabeza alta.
- Ser más realista en tu visión del mundo.
- Formar parte de lo que ocurre a tu alrededor.
- Dar tu opinión sabiendo que la otra persona tiene derecho a no estar de acuerdo.
- Ser capaz de saber que si la otra persona te dice que no, solo está expresando sus límites.
- Poder marcar la diferencia entre lo que haces y lo que ERES.

En resumen, ¿no es maravilloso saber que tienes todo lo que hace falta para curarte, tanto física como psicológicamente? Solo de ti depende decidirlo y quererlo con todo tu ser. Este gran poder que te habita solo está esperando a que lo descubras.

¿Qué decides hoy? ¿Dirigirte hacia lo que quieres ser y vivir, o tomar la dirección opuesta?

Taller ÊTRE BIEN (SENTIRTE BIEN)

Las enseñanzas dinámicas y concretas impartidas en el taller SENTIRTE BIEN interesarán a todos aquellos que quieran mejorar su calidad de vida. Este taller, único en su género, te proporcionará una base sólida para lograr aquello que realmente quieres.

Primer día

SENTIRTE BIEN
contigo mismo

Averiguarás cuáles son tus necesidades actuales y cómo satisfacerlas para mejorar tu calidad de vida. Explorarás diversos medios concretos, paso a paso, entre ellos el paso importante de descubrir cuánto te amas realmente.

Aprenderás sobre todo a:

- Identificar los miedos y las creencias que bloquean la consecución de tus deseos.
- Descubrir lo que te impide ser como te gustaría.
- Lidiar con la insatisfacción y lograr la serenidad.
- Utilizar sencillas herramientas que te permitirán estar bien contigo mismo.

Atrévete a dar el primer paso y ven a aprender
a sentirte tan bien como tú deseas.

Segundo día

SENTIRTE BIEN
con los demás

Descubrirás por qué tanto tus relaciones como las situaciones que vives no son siempre como tú desearías. Seguidamente, experimentarás, paso a paso, lo que es posible hacer para establecer unas relaciones satisfactorias y lograr el bienestar.

Aprenderás sobre todo:

- El verdadero concepto de responsabilidad, el cual te liberará del sentimiento de culpa.
- La importancia de saber comprometerse y descomprometerse.
- A identificar el origen de las emociones que dañan tus relaciones y también a lidiar con ellas.
- Dos métodos comprobados para hacer que tus relaciones mejoren.

¡Utiliza las relaciones difíciles como un trampolín
hacia tu bienestar interior!

Para más información sobre talleres y fechas, por favor consulta

www.ecoutetoncorps.com

ÍNDICE